Guillemets 4

Français • 2e cycle du primaire   **Cahier d'activités**

Écriture

Murielle Villeneuve

en collaboration avec
Pauline Robert

ÉDITIONS DU RENOUVEAU PÉDAGOGIQUE INC.

5757, RUE CYPIHOT, SAINT-LAURENT (QUÉBEC) H4S 1R3
TÉLÉPHONE: (514) 334-2690   TÉLÉCOPIEUR: (514) 334-4720
erpidlm@erpi.com   w w w . e r p i . c o m

Directeur de l'édition
Pierre-Marie Paquin

Correctrices d'épreuves
Marie-Claude Piquion
Lucie Bernard

Recherchiste (photos et droits)
Colette Lebeuf

Directrice artistique
Hélène Cousineau

Coordonnateur graphique
François Lambert

Couverture
Frédérique Bouvier

Conception graphique
Sylvie Morissette

Édition électronique
Fenêtre sur cour

Illustratrices
Chantal Audet : pages 1, 6, 7, 11, 22, 24, 33, 35-38, 50, 62, 65, 71, 83, 97, 100, 109, 113, 118-120, 122, 123, 134, 135, 144.
Christine Battuz : pages 2, 3, 16-19, 25, 26, 31, 32, 34, 39- 42, 45-48, 52, 55, 61, 64, 68, 71 (bas), 72, 74, 82, 85- 89, 91, 92, 98, 103, 104, 110-112, 117, 125, 131-133, 137-140, 145-150, 157-159, 161-165, 167, 168.

Rédactrices
Louise Malette : pages 6, 7, 14-16, 94, 95, 97, 98, 103, 122.
Marie-Claude Rioux : pages 9, 19, 22.

Crédits photographiques
CP IMAGES p. 129 : T. Hanson [haut et bas] ; DAVID SUZUKI FOUNDATION p. 95 : A. Harvey/www.slidefarm.com ; DORLING KINDERSLEY p. 52 : C. Keates ; G. GERMAIN p. 99 ; ISTOCKPHOTO p. 15 : G. Kuchera, p. 54 : C. Dascher [gauche (requin)], p. 54 : K. Lingbeek-van Kranen [droite (béluga)], p. 56 : M. Noak, p. 70 : N. Nehring [gauche (crapaud)], p. 70 : P. Lebedinsky [droite (grenouille)], p. 109 : E. Foltz ; LA PRESSE p. 94 : M. Gravel ; LE QUÉBEC EN IMAGES, CCDMD p. 75 : N. Brunelle ; NASA p. 79 : AS17-148-22727, p. 81 : S121-E-07577 ; NASA/JPL/CORNELL p. 78 : PIA08529 ; PHOTOS.COM p. 57 ; SOCIÉTÉ CANADIENNE DES POSTES 2001 p. 51.

Dépôt légal : Bibliothèque et Archives nationales du Québec, 2007
Dépôt légal : Bibliothèque et Archives Canada, 2007

Imprimé au Canada
ISBN 978-2-7613-1849-5

4567890 II 15 14 13 12 11
10715 ABCD   OF10

Abréviations et pictogrammes utilisés dans ce cahier

Ce pictogramme t'indique qu'il y a des fautes dans le texte.

Ce pictogramme t'invite à consulter un dictionnaire.

*   L'astérisque te signale que le mot est défini à la suite du texte.

1re pers. s.	1re personne du singulier
1re pers. pl.	1re personne du pluriel
GS	groupe sujet
GV	groupe du verbe

adj.	adjectif	N	nom
dét.	déterminant	pl.	pluriel
f.	féminin	pr.	pronom
GN	groupe du nom	s.	singulier
invar.	invariable	V	verbe
m.	masculin		

Remerciements
L'auteure et l'éditeur remercient les personnes suivantes pour leurs commentaires judicieux au cours de l'élaboration de cet ouvrage : madame Christiane Bessette Martel, enseignante, École Richelieu, Commission scolaire du Chemin-du-Roy ; madame Dulce Correia, enseignante, École des Nations, Commission scolaire de Montréal ; madame Geneviève Marchand, enseignante, Collège Jésus-Marie de Sillery ; madame Lise Robitaille, enseignante, Collège Jésus-Marie de Sillery.

À l'élève

Cette année, tu apprendras des nouvelles notions et tu reverras, pour mieux les maîtriser, celles que tu as apprises l'an dernier. Ces notions sont indispensables pour améliorer ta capacité à lire et à écrire toutes sortes de textes. Pour les assimiler, tu devras parfois faire appel à ton sens de l'observation et au raisonnement. D'autres fois, tu devras recourir à ta mémoire. Tu devras aussi mettre ces connaissances en pratique de nombreuses fois. C'est pour t'aider dans cet apprentissage que ce cahier a été conçu.

Bonne année scolaire !

L'équipe de *Guillemets*

Attention !

Avant de faire une activité, lis l'explication de la notion. Elle figure sur un fond jaune avant les activités qui s'y rapportent.

De plus, aux pages VII et X, une **table des matières** et un **index des notions** peuvent t'aider, quand tu écris, à retrouver une explication ou des exemples.

Au sujet des consignes

Biffe un mot : fais une barre sur le mot.

Souligne : utilise une règle.

Surligne : utilise un marqueur de couleur.

Relie : fais un trait pour **relier** des mots entre eux.

Relis : il s'agit de **relire** le texte ou les phrases.

Démarche de travail pour écrire un texte

Voici une démarche que tu peux suivre quand tu as un texte à écrire.

A. Planifie ton texte.

1° Précise ton sujet, ton intention, ton destinataire.

2° Fais un plan : écris quelques idées ou quelques renseignements qui te guideront quand tu écriras ton texte.

Pour un texte qui raconte une histoire :

Situation de départ (Début de l'histoire)	Le personnage principal, le moment où se passe l'histoire, le lieu.
↓	
Élément déclencheur	Ce qui arrive au personnage. Souvent, c'est un problème.
↓	
Péripéties	Ce que le personnage fait pour régler le problème ou pour changer sa situation.
↓	
Situation finale (Fin de l'histoire)	Comment le personnage réussit à régler le problème.

Pour un texte qui décrit (quelque chose ou quelqu'un) :

Introduction : Le sujet du texte.
↓
Développement : Les différents aspects du sujet. (Un paragraphe par aspect.)
↓
Conclusion : Un commentaire.

B. Rédige ton texte.

1° Écris le brouillon de ton texte (à double interligne) en suivant ton plan. Fais un nouveau paragraphe chaque fois que tu traites un nouvel élément de ton plan.

2° Relis souvent ce que tu écris. Pour t'assurer qu'on te comprendra bien, fais attention au choix des marqueurs de relation, des pronoms et des déterminants.

Marqueurs de relation : (Voir page 23.)

J'ai apporté des sandales <u>et</u> des souliers. Je vais marcher <u>ou</u> courir.

Pronoms : (Voir page 28.)

Jules est parti. <u>Il</u> devait aller chez <u>lui</u>.

Déterminants : (Voir page 77.)

Il y a <u>des</u> tuques et <u>des</u> mitaines <u>au</u> vestiaire. <u>Les</u> élèves ont oublié <u>ces</u> vêtements.

3° Si tu hésites sur l'orthographe d'un mot, mets un point d'interrogation au-dessus de ce mot.

C. Révise et corrige ton texte.

1° Relis **ton texte en entier** pour vérifier s'il est clair.

- Si tu le peux, lis-le à haute voix. Mets un X à côté des passages que tu dois améliorer.

- Si tu as oublié de faire des paragraphes, utilise le symbole // pour indiquer où les commencer.

- Si tu veux ajouter une idée, écris un chiffre à l'endroit correspondant. Récris ce chiffre à la fin de ton texte, suivi de ton idée. Tu intégreras ce passage à ton texte quand tu le transcriras au propre.

2° Vérifie le **vocabulaire** que tu as utilisé. Corrige les mots incorrects ou imprécis.

3° Relis ton texte **une phrase à la fois.**

- Vérifie si chaque phrase est bien construite, avec un groupe sujet et un groupe du verbe.

        GS   GV

  Les animaux ont quitté la scène.

- Si une phrase est trop longue, corrige-la.

- Vérifie si chaque phrase commence par une majuscule et se termine par un point. Surligne la majuscule et le point.

4° Vérifie dans un dictionnaire l'**orthographe** des mots au-dessus desquels tu as mis un point d'interrogation. Barre le point d'interrogation une fois le mot vérifié et corrigé.

5° Vérifie tes accords dans les **groupes du nom** (GN). Écris au-dessus leur genre et leur nombre.

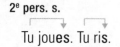

m. pl.   f. s.

Les mulots bruns n'aiment pas la chatte noire.   Le déterminant et l'adjectif ont le même genre et le même nombre que le nom.

6° Vérifie si les **pronoms** qui remplacent un GN ont le même genre et le même nombre que ce GN.

f. s.

J'ai une chatte. **Elle** est gracieuse.

7° Vérifie l'accord de tous les **verbes conjugués.** Écris la personne et le nombre au-dessus du sujet et trace une flèche du sujet au verbe.

2ᵉ pers. s.

Tu jou**es**. Tu ri**s**.   Le verbe s'accorde avec le sujet. Il est à la même personne et au même nombre.

D. Transcris ton texte.

1° Avant de transcrire ton texte, vérifie si tu as réglé toutes les questions que tu te posais (repère les points d'interrogation que tu avais mis, de même que les autres symboles : par exemple, les X et les //).

2° Donne un titre à ton texte.

3° Transcris ton texte en soignant ta calligraphie et la présentation. Forme des paragraphes bien distincts. Si tu avais écrit, au bas de ta page ou sur une autre feuille, des phrases à ajouter à ton texte, n'oublie pas de les ajouter !

4° Relis ton texte une dernière fois : assure-toi que tu n'as pas fait d'erreurs de transcription.

Voilà, tu peux transmettre ton texte à ton ou tes destinataires !

Table des matières

Le groupe du nom 73

Le verbe 101

L'orthographe

Des mots qui ont le même son

Annexes

Index des notions

Le texte

Le sujet d'un texte

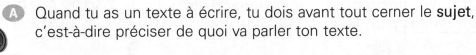

A Quand tu as un texte à écrire, tu dois avant tout cerner le **sujet**, c'est-à-dire préciser de quoi va parler ton texte.

B Dans ton texte, toutes les idées, tous les renseignements doivent se rapporter au sujet. C'est ce qu'on appelle des **renseignements pertinents**.

C De plus, les renseignements doivent être **suffisants** : il doit y en avoir assez pour que le lecteur comprenne bien ton texte.

≫1 Lis le texte suivant, puis réponds aux deux questions.

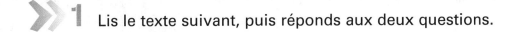

Tu aimes sans doute le chocolat. Mais sais-tu comment on fabrique cet aliment ?

En fait, tout commence avec le cacaoyer, un arbre qui pousse dans des régions très chaudes, par exemple au Mexique. Cet arbre peut atteindre jusqu'à dix mètres de hauteur. Ses fruits, qui ressemblent à de grosses noix, contiennent des fèves. C'est à partir de ces fèves, appelées «fèves de cacao», qu'on fabrique le chocolat.

L'intérieur du fruit.

Les fèves de cacao sont d'abord récoltées, puis fermentées* et enfin séchées. Généralement, elles sont ensuite expédiées dans un autre pays. Là, on les traite dans une usine de façon à produire du beurre de cacao, une sorte de pâte. Un mélange de beurre de cacao, de cacao solide et de sucre permet d'obtenir du chocolat noir. Le chocolat au lait, lui, s'obtient en ajoutant du lait en poudre à ce mélange.

Et voilà comment un arbre donne lieu à toute une industrie !

✳ **fermenté :** transformé sous l'action de microbes.

a) Quel est le sujet de ce texte ?

_____

b) Quel titre lui donnerais-tu ? Écris-le en haut du texte.

2 Un magazine pour enfants demande à ses lecteurs de décrire leur grand-mère.

Voici la lettre que Justine va envoyer au magazine. Biffe, avec une règle, les renseignements qui ne sont pas pertinents.

VOIR
PAGE 1, B

« Biffe » veut dire « Barre ». Utilise toujours une règle pour souligner ou pour biffer.

Bonjour,

Ma grand-mère est encore jeune. En tout cas, elle a l'air jeune ! Elle a des cheveux bouclés, des yeux noirs pétillants et une fossette au menton. On dirait qu'elle rit toujours. Elle marche d'un pas alerte et raffole des randonnées en plein air. Mon grand-père, lui, a de la difficulté à marcher. Il a mal aux jambes et ne se déplace qu'en fauteuil roulant.

Ma grand-mère est infirmière. Elle souhaite travailler encore quelques années, car elle adore son travail. Tous ceux qui la connaissent l'apprécient.

J'espère que ces quelques renseignements vous permettront de vous représenter ma grand-mère.

Justine

3 Les textes suivants ne contiennent pas suffisamment de renseignements. Ajoute au moins deux renseignements à chaque texte.

A. Sebastian se présente à son nouveau correspondant.

Bonjour,

Je m'appelle Sebastian. Je suis né au Chili, mais je vis maintenant à Montréal, au Québec. J'ai neuf ans. Je mesure 1,30 mètre. J'espère qu'on va bien s'entendre.

• _____

_____

• _____

_____

Sebastian

Le sujet d'un texte

B. L'école envoie une lettre d'invitation aux parents.

Chers parents,

Nous vous convoquons à une réunion spéciale qui portera sur notre projet de sortie. La réunion se tiendra à l'école. Nous comptons sur votre présence.

● _____
_____

● _____
_____

La directrice

» 4 Clarisse a écrit une histoire pour les enfants de la maternelle. Il manque un élément important à son histoire. Imagine-le et écris-le.

Dans un pays lointain, il y a de cela très longtemps, les chats et les souris étaient les meilleurs amis du monde. Pendant que les adultes étaient au travail et les enfants à l'école, les chats et les souris dansaient dans les maisons. Ils se partageaient la nourriture et s'amusaient de bon cœur.

Un jour, il arriva quelque chose de terrible. _____

_____

_____

_____

_____

_____

_____

Depuis ce temps, les chats et les souris sont des ennemis.

Le destinataire

A Le **destinataire** de ton texte, c'est la personne ou les personnes à qui tu t'adresses.

B Quand tu écris, tu dois tenir compte de ton destinataire. Par exemple, tu dois t'adresser différemment à un adulte qu'à un ami de ton âge.

Récemment, Rosalie a donné trois cartes d'anniversaire. D'après ce que Rosalie a écrit, peux-tu trouver à qui s'adresse chacune des cartes ?

Donne ta réponse en reliant chaque carte à son destinataire.

A.

Je te souhaite un très joyeux anniversaire. J'espère pour toi que toute l'année ressemblera à cette journée : pleine de surprises et de plaisirs. Attention ! Ne mange pas trop de gâteau !

À la directrice de l'école

B.

Vous faites partie de ma vie depuis toujours ; je suis heureuse que vous soyez là. Je vous souhaite un très bon anniversaire de mariage. J'espère qu'on fêtera cet événement encore plusieurs fois !

À ma grande amie

C.

À l'occasion de votre anniversaire, je voudrais vous remercier pour tout ce que vous faites pour nous. Je vous souhaite une belle journée, plus calme que les journées habituelles !

À mes chers grands-parents

Le texte qui raconte une histoire

A On appelle « récit » un texte qui raconte une histoire.

B Plusieurs récits ont une structure semblable à celle-ci :

Situation de départ (Début de l'histoire)	On fait connaissance avec le personnage principal de l'histoire et, parfois, avec le moment et le lieu où l'histoire se déroule. Il peut y avoir plus d'un personnage.
Élément déclencheur	Un élément vient changer la situation de départ. Souvent, cela prend la forme d'un problème que le personnage principal va affronter.
Péripéties	Ce sont les actions que le personnage principal fait pour résoudre son problème. Ce sont les aventures qu'il vit.
Dénouement	Souvent, c'est la façon dont le personnage principal règle le problème.
Situation finale (Fin de l'histoire)	C'est la nouvelle situation dans laquelle se trouve le personnage, une fois le problème réglé ou les aventures terminées.

Remarque – Dans certains récits, il n'y a pas de différence entre le dénouement et la situation finale. Il y a alors, après les péripéties, une seule partie : la **fin** de l'histoire.

Lorsque tu lis une histoire, pose-toi des questions : Pourquoi le personnage dit-il ceci ? Pourquoi fait-il cela ? Qu'est-ce qui va arriver après ?

Le texte qui raconte une histoire

1 **a)** Lis le récit suivant. Observe la façon dont il est construit.

VOIR
PAGE 5

Le loup sauvage et le chien domestique

❶ Il était une fois un loup qui avait été rejeté par son groupe. Comme il ne savait pas chasser, il était devenu tout maigre. Depuis des jours, il cherchait désespérément de la nourriture.

❷ Un matin, attiré par de bonnes odeurs, le loup décide de s'approcher d'un village. Tout à coup, sur le chemin, il aperçoit un chien bien dodu, qui gambade*, la queue en l'air.

❸ La première idée du loup est d'attaquer le chien afin de le manger. Comme celui-ci est plus gros que lui, il choisit plutôt d'entamer la conversation. Au cours de la discussion, le loup apprend que le chien reçoit deux bons repas chaque jour. Le loup salive, sa langue pend.

❹ Le chien voit bien que le loup a faim. Il lui fait une proposition :
– Viens vivre avec moi, à la ferme ! Tu seras nourri comme un roi !
– Qu'est-ce que je devrai faire en échange ? demande le loup, méfiant.
– Rien de spécial… Te laisser caresser, rapporter la balle, grogner devant un étranger.
– C'est tout ?
– C'est tout ! Juré, craché ! répond le chien.
Les nouveaux compagnons prennent donc la direction de la ferme. Le loup rêve déjà d'une gamelle bien remplie.

❺ Tout en trottinant, l'animal sauvage remarque que le cou du chien semble usé. Intrigué**, il lui demande d'où vient cette drôle de blessure. Le chien hésite, mais finit par avouer que c'est là une marque laissée par son collier.
– Un collier ? s'exclame le loup. Mais pourquoi ?
– Euh… parce que… je suis attaché, répond le chien, penaud.
– Attaché ? Tu ne peux donc pas aller où tu veux, quand tu veux ?

✱ **gambader :** sauter ou se promener gaiement.

✱✱ **intrigué :** étonné et curieux à la fois.

– Pas vraiment, admet le chien.

Le chien confie alors à son nouvel ami qu'il s'est sauvé très tôt ce matin. Il ajoute que ses maîtres doivent être en train de le chercher partout. Il sera sûrement accueilli par plusieurs coups de bâton… Le loup est choqué. Être attaché ? Battu ? Mais ce n'est pas une vie, ça !

❻ La promesse de repas savoureux n'est pas suffisante pour le loup. Il préfère gambader dans les bois. Sans hésiter, il fait ses adieux au chien et fuit en courant.

❼ Depuis ce temps, le loup n'a plus jamais été tenté par la vie domestique. Il a appris à chasser et il protège sa liberté.

Ce texte est inspiré de la fable *Le loup et le chien* de Jean de La Fontaine.

> Relis les paragraphes un par un.

b) Complète le schéma du récit *Le loup sauvage et le chien domestique.*

c) Dans la colonne de droite, indique quels paragraphes correspondent à chaque étape du récit.

Situation de départ (Début de l'histoire)	Le loup est seul, il ne sait pas chasser, il a faim.	Paragraphe numéro : __1__
Élément déclencheur	_____ _____	Paragraphe numéro : _____
Péripéties	• Le loup songe à attaquer le chien, mais il décide plutôt de discuter avec lui.	Paragraphe numéro : _____
	• Il accepte d'aller vivre à la ferme avec le chien.	Paragraphe numéro : __4__
	• En chemin, le loup réalise qu'à la ferme le chien est attaché et qu'il peut même être battu.	Paragraphe numéro : _____
_____	Le loup fuit en courant (il retourne dans les bois).	Paragraphe numéro : _____
Situation finale (Fin de l'histoire)	_____ _____	Paragraphe numéro : _____

Le texte qui raconte une histoire

2 Termine le récit suivant.
Ajoute deux péripéties
et la situation finale.

Une *péripétie*, c'est
un événement ou une action
faite par un personnage. C'est
quelque chose qui se passe
entre le début et la fin
d'une histoire.

Les bulles de Louis

Situation de départ

C'est samedi, Louis est à la maison. Ses parents sont partis faire des courses. Louis sait que ses parents sont fatigués aujourd'hui. Il décide de leur faire une surprise.

Élément déclencheur

Mais quelle surprise ? Oh, il a une idée ! Il va faire la lessive avant leur retour. Vite, il ramasse tous les draps et les met dans la laveuse. Il lit les instructions sur la boîte de détergent. Quoi ? Une dose pour tout ce linge ? Ce n'est certainement pas suffisant. Louis décide d'en mettre quatre.

Péripéties

Erreur ! La machine se met à gronder et de grosses bulles de savon s'échappent du couvercle. L'eau déborde. Peu à peu, toute la pièce est envahie par des nuages de savon.

Tout à coup, une énorme bulle aspire Louis ; il monte dans les airs.

Qu'est-ce que Louis fait ?
Qu'est-ce qui arrive ?

_____

_____

_____

_____

_____

_____

_____

Situation finale

(Fin de l'histoire)

Le problème de Louis est-il réglé ?
Comment finit l'histoire ?

_____

_____

_____

_____

_____

Le texte qui raconte une histoire

 3 En écrivant son texte à l'ordinateur, un élève a mélangé les paragraphes. Découpe les paragraphes et mets-les dans le bon ordre à la page 11.

Un jeune bricoleur

❶ Rouge comme une fraise, Alexis répond : « Je pense que ma technique de remontage d'objets n'est pas au point, maman. »

❷ Un samedi, pendant que sa mère lit un livre au salon, Alexis prend le téléphone et la radio de la cuisine. Vite, il les apporte dans sa chambre. Il ferme doucement la porte, dépose les deux appareils par terre et commence à les démonter. Bientôt, plus de cent morceaux sont éparpillés sur le sol : des vis, des bouts de plastique, des fils de toutes les couleurs.

❸ Alexis est un jeune garçon de neuf ans. Il adore défaire des objets pour comprendre leur mécanisme.

❹ Notre jeune bricoleur va dans la cuisine remettre les appareils à leur place. Sa mère entre dans la pièce. « Mettrais-tu de la musique pendant que je prépare le souper ? » demande-t-elle à son fils. Celui-ci allume la radio. « Dring, dring », fait l'appareil. La mère d'Alexis se précipite sur le téléphone. Elle met le combiné sur son oreille et sursaute : une musique rap rugit dans le téléphone.

❺ La mère d'Alexis regarde son fils d'un œil sévère. Elle lui dit : « Peux-tu m'expliquer ce que cela signifie ? Comment se fait-il que la radio sonne et que le téléphone joue de la musique ? »

❻ Quelques minutes plus tard, Alexis entend sa mère. « Je lis encore quelques pages, puis je vais préparer le souper », dit-elle. « Oh, pense le garçon, je ferais mieux de tout remettre en place. » Alexis rafistole ses objets : une vis par-ci, une vis par-là, et hop, le tour est joué. La radio et le téléphone sont remontés.

Un jeune bricoleur

Le texte qui raconte une histoire

4 Tu dois écrire une courte histoire à partir de l'événement suivant.

> Dans un plan, tu n'as pas besoin de faire des phrases complètes ! Écris des mots ou des bouts de phrases qui t'aideront ensuite à rédiger ton texte.

Léa se réveille un matin : elle est devenue un robot.

a) Fais d'abord le plan de ton texte à l'aide du schéma ci-dessous.

Situation de départ (Début de l'histoire)	Qui est le personnage ? _____ Où se passe l'histoire ? _____	Ce sera ton **premier paragraphe**.
Élément déclencheur	Qu'est-ce qui arrive au personnage ? <u>Léa est devenue un robot.</u>_____	Ce sera ton **deuxième paragraphe**.
Péripéties	Qu'est-ce que le personnage fait pour régler le problème ou pour changer sa situation ? (Donne deux ou trois actions.) _____ _____ _____ _____ _____	Ce sera ton **troisième**, ton **quatrième** et, si tu le veux, ton **cinquième paragraphe**. En général, on fait un paragraphe par action ou par événement important.
Situation finale (Fin de l'histoire)	Comment le personnage a-t-il réussi à régler le problème ? Comment est-il maintenant ? _____ _____	Ce sera ton **dernier paragraphe**.

b) À l'aide de ton plan, rédige ton texte sur une feuille.
Écris-le à double interligne.

c) Relis ton brouillon en vérifiant les aspects suivants.
Apporte des corrections, s'il y a lieu.　　　　　　　　　**Oui　　Non**

- Est-ce que les péripéties et la situation finale ont
  un rapport avec l'élément déclencheur?　　　　　　☐　　☐

- Est-ce que l'ordre des événements est logique?　　☐　　☐

- Est-ce que j'ai fait des paragraphes aux bons endroits?　☐　☐

- Est-ce que mes phrases commencent par une majuscule
  et se terminent par un point?　　　　　　　　　　☐　　☐

- Mes phrases sont-elles bien construites? Par exemple,
  chaque fois qu'il y a un verbe conjugué, y a-t-il un sujet?　☐　☐

- Est-ce que j'ai mis un titre?　　　　　　　　　　☐　　☐

d) Transcris ton texte sur une feuille mobile. Vérifie si tu
n'as pas fait de fautes en le transcrivant.

e) Illustre ton texte ici.

Le texte qui décrit
et le texte où l'on donne son opinion

A Un texte qui **décrit** quelque chose ou quelqu'un, de même qu'un texte qui sert à **donner son opinion** sont construits de la façon suivante.

	Dans un texte qui décrit…	Dans un texte où l'on donne son opinion…
Introduction ↓	L'**introduction** annonce le sujet du texte et, parfois, comment il sera traité.	L'**introduction** annonce le sujet du texte et, parfois, comment il sera traité.
Développement ↓	Le **développement** traite l'un après l'autre les différents aspects du sujet. Il y a autant de **paragraphes** qu'il y a d'aspects traités. Parfois, des **intertitres** annoncent les aspects traités.	Le **développement** présente l'une après l'autre les différentes raisons qui justifient l'opinion exprimée. Il y a autant de **paragraphes** qu'il y a de raisons abordées. Parfois, des **intertitres** annoncent les raisons abordées.
Conclusion	La **conclusion** met fin au texte, à l'aide d'un commentaire par exemple.	La **conclusion** met fin au texte, à l'aide d'un commentaire par exemple.

B Quand tu as un texte à écrire, fais d'abord un **plan**. Un plan, c'est la liste ordonnée des renseignements qu'on veut donner dans un texte.

>> 1 Le texte ci-dessous décrit un animal sauvage : le loup. Lis le texte et observe sa structure.

a) Entoure les intertitres du développement.

b) Complète le schéma qui suit le texte. Tu dégageras ainsi le plan du texte.

Un animal qui vit en groupe

❶ Le loup est un animal sauvage qui fascine les gens. On l'admire pour son intelligence et pour sa fidélité envers sa famille. Nous présenterons ici quelques caractéristiques du loup, son mode de vie, son alimentation et enfin la réputation qu'il a auprès des humains.

Le texte qui décrit et le texte où l'on donne son opinion

Quelques caractéristiques

❷   Le loup ressemble à un gros chien. La couleur de son pelage varie selon son habitat. Par exemple, le loup de l'Arctique est blanc ; cela lui permet de se camoufler dans la neige. Le loup possède une mâchoire puissante et un odorat très développé. Il peut renifler une piste pendant toute une journée sans s'arrêter.

Le loup est un carnivore.

Son mode de vie

❸   Le loup vit en groupe. On appelle ce groupe une « meute ». Une meute comprend un mâle, une femelle, leurs petits et les jeunes des portées précédentes. Les membres d'une meute se déplacent et chassent ensemble. Pour communiquer avec ses semblables, le loup émet un son très caractéristique : le hurlement.

Son alimentation

❹   Le loup est un carnivore. Cela veut dire qu'il se nourrit surtout de viande. En général, il s'attaque à du gros gibier : un cerf, un orignal, un bison. Parfois, la meute entière encercle un animal, l'attaque, puis le dévore.

Sa réputation

❺   Le loup ne s'attaque jamais aux humains. Cependant, lorsque la nourriture vient à manquer, il arrive qu'il s'en prenne aux poules ou aux moutons. C'est pourquoi il n'a pas une bonne réputation dans les campagnes. Les gens ont même essayé de l'exterminer à plusieurs reprises. Dans les régions habitées par l'homme, il n'y a à peu près plus de loups.

❻   Aujourd'hui, dans la plupart des pays, le loup est un animal protégé. Cela signifie qu'il est interdit de le chasser, de le blesser ou de le capturer.

Introduction	Présentation du sujet : le loup	Paragraphe numéro : _____
Développement	_____	Paragraphe numéro : _____
	_____	Paragraphe numéro : _____
	_____	Paragraphe numéro : _____
	_____	Paragraphe numéro : _____
Conclusion	Aujourd'hui, il est protégé.	Paragraphe numéro : _____

Le texte qui décrit et le texte où l'on donne son opinion

2 Johanna a écrit un texte pour donner son opinion sur un film.

Lis ce texte et observe sa structure.

Remplis ensuite le schéma à la page suivante.

Un monstre terrifiant

❶   Hier, je suis allée voir le film *Le monstre des montagnes noires* avec mes parents. C'est l'histoire d'une bête mystérieuse qui sème la panique dans un village entouré de montagnes. Je m'attendais à un film divertissant. À vrai dire, je ne me suis pas amusée du tout.

❷   Il y a cependant des aspects du film que j'ai aimés. Ainsi, les personnages du frère et de la sœur m'ont bien fait rire. Heureusement, sinon je serais probablement morte de peur ! Le garçon, en particulier, était très drôle.

❸   De plus, j'ai apprécié la musique que les jeunes écoutent dans le film, surtout la chanson qui revient régulièrement. Je la trouve excellente ! Chaque fois qu'on l'entend, on sait que le danger est passé. Ça nous donne un répit.

❹   Cependant, j'ai détesté l'aspect terrifiant du film. Habituellement, j'aime bien avoir peur en regardant un film. Je parle d'une petite sensation de peur, presque agréable, parce qu'on sait que l'histoire est invraisemblable✳. Par exemple, si le monstre avait été une bête à deux têtes qui crache du feu, j'aurais eu peur, mais j'aurais eu du plaisir aussi ! Mais le fameux monstre, c'était un être humain, une personne horrible ! Quand son ombre apparaissait, je n'étais même pas capable de regarder l'écran.

❺   À mon avis, ce film n'est pas pour les jeunes enfants. Heureusement, mon petit frère n'était pas avec nous ! Bref, je ne vous recommande pas d'aller voir ce film !

✳ **invraisemblable :** qui n'est pas croyable ; qui n'a aucune apparence de vérité.

Nom : _____   Date : _____

Le texte qui décrit et le texte où l'on donne son opinion

_____	Présentation du film	Paragraphe numéro : _____
_____	• Un aspect du film que Johanna a aimé : deux personnages drôles	Paragraphe numéro : _____
	• Un autre aspect que Johanna a aimé : _____	Paragraphe numéro : _____
	• Ce qu'elle n'a pas aimé : _____	Paragraphe numéro : _____
_____	Ce n'est pas un film pour les enfants.	Paragraphe numéro : _____

> En remplissant un tel schéma, tu dégages le plan du texte, c'est-à-dire sa structure.

3 a) Des élèves de 4ᵉ année devaient lire un livre de leur choix sur les animaux, puis en faire un compte rendu. Voici les introductions rédigées par trois élèves.

VOIR
PAGE 14, A

Selon toi, qui a écrit la meilleure introduction ? _____

A. L'introduction de Lise-Anne

J'ai beaucoup aimé le livre intitulé « Le loup ». Il m'a permis d'en apprendre davantage sur cet animal. Les photos qu'il contient sont magnifiques.

B. L'introduction de Carmen

Le livre que j'ai lu a pour titre « Moi, un lemming ». Voici un aperçu de ce livre.

C. L'introduction de Fabien

Le livre que j'ai choisi s'intitule « La vie des carnivores ». Dans cet ouvrage, l'auteur décrit le comportement de nombreux animaux sauvages et de quelques animaux domestiques. Je vais d'abord vous donner une vue d'ensemble du contenu de ce livre. Par la suite, je vous parlerai des photographies et des illustrations. Enfin, je vous ferai part de mes impressions personnelles.

Nom : _____   Date : _____

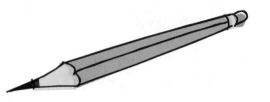

VOIR
PAGE 14, A

b) L'enseignante a demandé aux élèves de conclure leur texte en faisant des commentaires. Voici les conclusions rédigées par trois élèves.

Selon toi, qui a écrit la meilleure conclusion ? _____

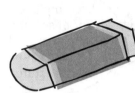

A. La conclusion d'Émilie

Comme j'adore les bêtes, ce livre m'a emballée. Je le conseille donc à tous ceux qui aiment les animaux. Cet ouvrage les aidera à mieux comprendre et à mieux protéger les bêtes. Il sera aussi très utile à ceux qui ont une recherche à effectuer.

B. La conclusion de Raphaël

Dans ce livre, j'ai appris que le tigre fait partie des animaux carnivores, c'est-à-dire des animaux qui mangent de la viande. Il se nourrit surtout de cervidés (les animaux de la famille des cerfs) et de cochons sauvages. Il attaque parfois de jeunes éléphants.

C. La conclusion de Zoé

Ce livre contient de nombreuses photos. Je le recommande aux plus jeunes, car il est facile à lire.

Le texte qui décrit et le texte où l'on donne son opinion

4 Noah a écrit un texte sur les métiers du cirque. En le recopiant, il a oublié de faire ses paragraphes.

Indique, à l'aide d'une barre oblique, les endroits où il aurait dû créer un paragraphe.

Au total, en comptant l'introduction et la conclusion, tu dois obtenir six paragraphes.

Les gens du cirque

Es-tu déjà allé au cirque ? Si oui, tu as sans doute remarqué qu'un spectacle de cirque exige le travail d'un grand nombre de personnes. Faisons un bref survol. D'abord, il y a les gens qui installent les structures et l'équipement. Sans les monteurs de chapiteau, par exemple, les spectacles auraient lieu sous la pluie ou au grand vent. Sans les monteurs de gradins, les spectateurs s'assoiraient par terre ! Les électriciens sont tout aussi indispensables : ils installent les lumières, les micros et les haut-parleurs. Ensuite, il y a les personnes qui s'occupent des artistes, comme les maquilleurs et les costumiers. Le ou la secrétaire voit à l'organisation : il faut, par exemple, réserver les chambres d'hôtel et commander la nourriture pour les animaux. Puis, il y a les artistes, les vedettes du cirque. Les acrobates nous émerveillent par leurs contorsions* étranges. Les jongleurs et les trapézistes nous coupent le souffle. Les clowns nous font crouler de rire. Sans oublier les musiciens et leurs rythmes enlevants. Enfin, il y a les gens qui prennent soin des animaux, comme les dresseurs de lions ou de chevaux. Un dresseur doit aimer ses bêtes et être très patient. C'est souvent lui qui les nourrit et qui les soigne. Comme tu peux le voir, il faut beaucoup de personnes pour faire fonctionner un cirque. Sans leur travail, le cirque ne serait pas si magique, il ne nous ferait pas tant rêver.

 contorsions : des mouvements acrobatiques.

Le texte qui décrit et le texte où l'on donne son opinion

>> **5** **a)** Précise le genre de livres que tu préfères. Des romans ? Des livres documentaires ? Des bandes dessinées ? Un autre genre de livres ?

VOIR
PAGE 14

Ta réponse : _____

b) Tu dois rédiger un texte où tu donneras les raisons de ton choix.

Fais d'abord un plan de ton texte, à l'aide du schéma suivant.

Introduction	Mon sujet : le genre de livres que je préfère, c'est _____	Ce sera ton 1er paragraphe.

Développement   Deux ou trois raisons pour lesquelles je préfère ce genre de livres :

> Dans un plan, tu n'as pas besoin de faire des phrases complètes. Écris des mots ou des bouts de phrases qui t'aideront à rédiger ton texte.

1. _____   Ce sera ton
   _____   2e paragraphe.

2. _____   Ce sera ton
   _____   3e paragraphe.

3. _____   Ce sera ton
   _____   4e paragraphe,
   _____   s'il y a lieu.

Conclusion   Mon commentaire :

_____   Ce sera
_____   ton dernier
                                       paragraphe.

c) À l'aide de ton plan, rédige un court texte dans lequel tu présenteras le type de livres que tu préfères et tes raisons. Utilise une feuille à part.

d) Relis ton texte en te posant les questions suivantes.   **Oui**   **Non**

- Les paragraphes sont-ils bien délimités ?   ☐   ☐
- L'introduction annonce-t-elle le sujet du texte ?   ☐   ☐
- Le développement expose-t-il clairement pourquoi je préfère ce genre de livres ?   ☐   ☐

Le texte qui décrit et le texte où l'on donne son opinion

	Oui	Non

- La conclusion est-elle pertinente par rapport au sujet ? Par exemple, est-ce qu'elle exprime un commentaire général sur ce genre de livres ? ☐ ☐
- Chaque phrase commence-t-elle par une majuscule et se termine-t-elle par un point ? ☐ ☐
- Les phrases sont-elles bien construites ? Par exemple, chaque fois qu'il y a un verbe conjugué, y a-t-il un sujet ? ☐ ☐
- Est-ce que le texte a un titre ? ☐ ☐

e) Si tu as écrit ton texte à la main, transcris-le. Relis-le pour t'assurer qu'il ne reste plus d'erreurs.

Le texte qui donne des instructions

A On lit souvent des textes qui donnent des instructions : les règles d'un jeu, par exemple, ou une recette de cuisine. Voici comment ils sont construits.

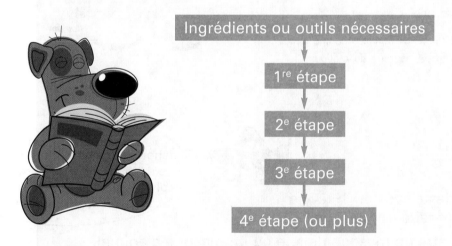

Ingrédients ou outils nécessaires
↓
1re étape
↓
2e étape
↓
3e étape
↓
4e étape (ou plus)

Parfois, il n'y a pas de liste d'ingrédients ou d'outils ; il n'y a que les étapes à suivre.

B En général, les phrases des textes qui donnent des instructions sont courtes ; elles sont écrites à l'infinitif ou à l'impératif. Cela permet au lecteur de voir rapidement ce qu'il doit faire.

→

1°, 2°, 3°, 4°...
Voilà, j'ai tout compris !
Les instructions sont simples à suivre quand elles sont présentées de cette façon !

c Voici, à titre d'exemple, un texte qui donne des instructions.

Fabrique-toi une fleur presse-papier

Matériel

- Une feuille de papier mousse
- Un caillou
- Un crayon
- Un pinceau

- Des ciseaux
- De la gouache
- Du vernis
- De la colle

Marche à suivre

1. Applique une couche de gouache sur le caillou. Laisse-la sécher.

2. Décore le caillou avec des motifs peints (pois, rayures, etc.).

3. Vernis-le, lorsqu'il est sec.

4. Dépose le caillou sur la feuille de papier mousse.

5. Sur cette feuille, dessine des pétales autour du caillou.

6. Découpe le contour des pétales avec des ciseaux.

7. Colle le caillou au centre de la fleur.

Un masque

VOIR
PAGE 21, A-B

Écris à des élèves du 1er cycle comment faire un masque.

Ce peut être un masque de fête ou un masque d'animal.

Inspire-toi du schéma de la page 21 et du texte ci-dessus. Rédige ton texte sur une feuille mobile.

Voici comment procéder.

> Quand la fête a lieu dehors, par exemple à l'Halloween, c'est préférable de se maquiller plutôt que de porter un masque. Sécurité d'abord !

a) Donne d'abord la liste du matériel.

b) Rédige ensuite les étapes de fabrication dans l'ordre, en faisant un paragraphe par étape. Fais des phrases très courtes, en les commençant par un verbe à l'impératif (comme « Dessine », « Découpe », « Colle »).

c) Accompagne ton texte de dessins pour rendre tes explications plus claires.

Les marqueurs de relation

Des liens dans les phrases

A Certains mots invariables servent à créer une **relation** entre des groupes de mots. On les appelle **marqueurs de relation**. En voici quelques-uns.

> Un mot invariable, c'est un mot qui s'écrit toujours de la même façon.

comme   donc   et   mais   ou   parce que   puis   que

B Voici ce que des marqueurs de relation peuvent exprimer.

Un ajout :	Mes sports préférés sont le patin, la bicyclette, le judo et le soccer.
Un choix :	Vas-tu à l'aréna ou à la piscine ?
Une cause :	Je ne vais pas en bicyclette aujourd'hui parce qu'il pleut. Devant une voyelle, *parce que* s'écrit *parce qu'*. Comme il ne fait pas beau, je ne prends pas ma bicyclette.
Une conséquence :	Il pleut, donc je ne vais pas en bicyclette.
Une opposition :	Ces spectacles sont bien réalisés, mais ils sont trop longs.
Une suite d'actions :	Ils ont aiguisé leurs patins, puis ils se sont dirigés vers la patinoire.
Le mot que établit une relation, mais il n'a pas de signification.	Je veux que tu apprennes à nager.

Des liens dans le texte

C D'autres mots invariables permettent d'établir des liens tout au long du texte.

Par exemple, certains mots peuvent indiquer l'**ordre des actions.**

d'abord, ensuite, finalement avant, après premièrement, deuxièmement, etc. en premier lieu, en deuxième lieu, en conclusion	D'abord, il faut bien cerner son sujet, son intention et son destinataire. Ensuite, il faut faire un plan détaillé, en notant toutes les idées pertinentes. Finalement, on peut se mettre à écrire, en se relisant fréquemment.

→

Les marqueurs de relation

Certains mots peuvent **situer les événements dans le temps.**

autrefois, auparavant	**Hier**, tous les élèves ont répété leur rôle. **Aujourd'hui**, ils font une répétition générale devant les enfants de la maternelle. **Bientôt**, la direction de l'école et le personnel auront aussi droit à une représentation. **Demain**, ce sont les parents qui assisteront au spectacle de l'année.
il y a longtemps, maintenant, à l'avenir	
hier, aujourd'hui, demain	
tantôt, immédiatement, peu après, par la suite	

1 Ajoute le marqueur de relation qui convient dans les phrases. Choisis tes réponses dans la liste ; n'utilise chaque marqueur qu'une seule fois.

VOIR
PAGE 23, A-B

- ~~comme~~
- et
- ou
- puis
- donc
- mais
- parce que

En Nouvelle-France, au 17ᵉ siècle

Ex. : _____Comme_____ les hivers étaient très longs, les habitants ont pris l'habitude d'organiser des veillées pour se distraire.

1. Au cours des longues soirées d'hiver, on avait le choix : on contait des histoires, on chantait _____ on dansait.

2. Louis Hébert, sa femme Marie Rollet _____ leurs trois enfants ont été la première famille de colons à s'installer définitivement en Nouvelle-France.

3. Louis Hébert était un excellent cultivateur, _____ il est mort jeune. Sa femme a poursuivi son travail.

4. Pour les colons français, les premières années étaient difficiles _____ les hivers étaient rigoureux.

5. Les colons devaient d'abord défricher, _____ se construire une maison.

6. Les hivers étaient très froids, _____ les habitants devaient construire des maisons adaptées à ce climat.

Les marqueurs de relation

 2 a) Reformule les phrases de façon à établir entre elles une relation de cause.

Utilise le marqueur « parce que ».

Ex.: Le robot ne fonctionne plus. Sa pile est épuisée.

<u>Le robot ne fonctionne plus parce que sa pile est épuisée.</u>

1. L'auto ne roule plus. Le réservoir d'essence est vide.

_____

_____

2. Je ne peux pas aller à vélo. Les pneus sont crevés.

_____

_____

3. Le décollage de l'avion est retardé. Il y a un ouragan.

_____

_____

4. Le train a déraillé. Il y avait des orignaux sur la voie ferrée.

_____

_____

b) Dans les phrases que tu as écrites, entoure le marqueur de relation et souligne la cause qu'il introduit.

Ex.: Le robot ne fonctionne plus (parce que) sa pile est épuisée.

>>>3 **a)** Souligne les mots invariables qui expriment l'ordre des actions dans le texte suivant.

VOIR
PAGE 23, C

J'aime bien envoyer des courriels à mes amis. D'abord, j'ouvre un logiciel de messagerie dans l'ordinateur. Ensuite, je sélectionne l'entrée « Écrire un message » et je tape l'adresse électronique de mon destinataire. Après, je rédige mon message. Finalement, je clique sur « Envoyer » et le tour est joué ! C'est simple comme bonjour.

b) Rédige un court texte (trois ou quatre phrases) pour décrire ce que tu fais au retour de l'école. Utilise trois des mots suivants.

• finalement   • d'abord   • ensuite   • après   • enfin

_____

_____

_____

_____

_____

_____

c) Relis tes phrases. As-tu mis les actions dans le bon ordre ? Entoure les mots qui indiquent l'ordre des actions.

Le pronom

Des pronoms qui remplacent d'autres mots

A Généralement, un **pronom** remplace un mot ou un groupe de mots déjà mentionné dans le texte. Il permet ainsi d'éviter des répétitions.

C'est souvent un groupe du nom qui est remplacé par un pronom, comme dans le texte suivant.

Les robots

Les robots sont des machines automatiques. Ils accomplissent souvent des tâches mécaniques.

Les robots sont très utiles aux humains. Ceux-ci les utilisent dans plusieurs domaines : en science, au travail, dans les loisirs et même à la maison.

Dans le premier paragraphe, le pronom *Ils* remplace le groupe du nom *Les robots*.

Dans le deuxième paragraphe, le pronom *Ceux-ci* fait référence aux *humains*. Dans la même phrase, quel groupe du nom le pronom *les* remplace-t-il ?

B Quand le pronom remplace un <u>groupe du nom</u>, il est alors du même **genre** (masculin ou féminin) et du même **nombre** (singulier ou pluriel) que ce groupe du nom.

GN

Les robots : masculin pluriel   Ils : masculin pluriel

Des pronoms qui permettent la communication

C Parfois, certains pronoms ne remplacent pas un groupe du nom déjà mentionné. Ils désignent plutôt la personne qui parle, la personne à qui on parle ou encore la personne dont on parle. Ils permettent la communication entre les personnes.

Lis, par exemple, le courriel que Charlot envoie à son ami Colin. Observe les pronoms (en bleu).

Salut !

Comment vas-tu ? J'espère que nous pourrons nous voir bientôt. Veux-tu venir chez moi samedi ?

Je te salue,

Charlot

Dans ce texte, les pronoms *je* (*j'*) et *moi* désignent Charlot, la personne qui a écrit le courriel.

Les pronoms *tu* et *te* désignent Colin, la personne à qui est adressé le courriel.

Le pronom *nous* renvoie à ces deux personnes.

Des listes de pronoms

D Voici des exemples de pronoms.

> Devant une voyelle
> ou un *h* muet : ***J'****habite ici.*
> *Tu **m'***aimes. Je **t'***appelle.*
> *Nous **l'***avons.*

Des pronoms personnels

Pronom	Fonction sujet	Fonction complément
1re personne du singulier	**je (j')** Je ris.	**me, moi** Éric me regarde. Parle-moi.
2e personne du singulier	**tu** Tu chantes.	**te, toi** Léa te parle. Je pense à toi.
3e personne du singulier	**il, elle, on** Il sourit.	**le, la, lui** Luc a un chat. Il le cherche. Il lui donne à manger.
1re personne du pluriel	**nous** Nous crions.	**nous** Cette chanson nous plaît.
2e personne du pluriel	**vous** Vous pleurez.	**vous** Lili vous aime bien.
3e personne du pluriel	**ils, elles** Elles jouent.	**eux, elles, les, leur** Voici tes amis. Va jouer avec eux. Tes sœurs arrivent. Va jouer avec elles. Appelle-les. Dis-leur d'étudier.

Remarque – Pour conjuguer un verbe, on utilise les pronoms personnels sujets : *je, tu, il / elle, on, nous, vous, ils / elles.*

Des pronoms démonstratifs

Masculin singulier	Féminin singulier	Masculin pluriel	Féminin pluriel	Forme neutre
celui celui-ci celui-là	celle celle-ci celle-là	ceux ceux-ci ceux-là	celles celles-ci celles-là	ce, ceci, cela, ça

Principaux pronoms interrogatifs

(dans une phrase interrogative)		Exemples
Invariables	qui, que, quoi qui est-ce qui, qu'est-ce qui	Qui est là ? Que cherches-tu ? À quoi pensais-tu ?
Variables	lequel, laquelle, lesquels, lesquelles	Voici des fruits. Lesquels veux-tu ?

Le pronom

Attention aux mots *le, la, les* et *l'*

Les mots *le, la, les* et *l'* sont parfois des déterminants, parfois des pronoms.

Quand il s'agit de cuisiner, le robot culinaire est l'instrument préféré de mon père.
dét.

Il l'utilise pour râper des carottes, hacher des oignons et broyer des tomates.
pr.

Dans la première phrase, le mot *l'* est un déterminant : il est suivi d'un nom, « instrument ». Il fait partie du groupe du nom « l'instrument préféré ».

Dans la deuxième phrase, le mot *l'* est un pronom : il remplace le groupe du nom « le robot culinaire ». Il est suivi d'un verbe : « utilise ».

C'est la même chose avec *le, la* et *les*. Observe ces mots dans les phrases suivantes. Lesquels sont des déterminants ? Lesquels sont des pronoms ?

Le chien halète et gémit. Mon père ne veut pas le voir dans la cuisine.

La truite a été nettoyée. Il faut la faire cuire tout de suite.

Les aubergines sont délicieuses. On les apprête de différentes façons.

J'aime les bleuets.

Je les aime aussi !

1 Sabine vient d'immigrer au Québec. Elle arrive d'un pays chaud où il n'y a pas d'hiver. Elle envoie un courriel à sa cousine Rosie qui est restée là-bas.

VOIR
PAGE 27, C

Au-dessus de chaque pronom en caractères gras, écris la ou les personnes désignées par le pronom.

Jeter	Répondre	Transférer	Envoyer

Bonjour chère cousine,

Ex.: Rosie _____   _____

Tu ne sais pas ce qui **m'**est arrivé aujourd'hui.

_____

Eh bien, **j'**ai vu de la neige tomber toute la journée !

Après quelques heures, le sol et les arbres étaient

_____   _____

complètement blancs. **Je** n'avais jamais vu ça ! Et **toi** ?

_____

Tu veux te représenter la neige ? Imagine de petites flocons

de lait en poudre. C'est froid, blanc et brillant. Ça flotte dans l'air

avant de tomber sur le sol.

_____

Mes amis et **moi**, nous portons des manteaux

imperméables, doublés de fourrure ou de duvet.

_____

Cela **nous** garde au chaud et au sec. Nous pouvons

ainsi glisser sur la neige. C'est vraiment amusant.

_____   _____

Toi et tes parents, viendrez-**vous** voir l'hiver au Québec ?

_____

Je l'espère de tout cœur.

Ta cousine Sabine

2 Indique, dans le tableau, le groupe du nom que chaque pronom remplace.

VOIR
PAGE 27, A

À l'aventure !

L'agence de voyages *Jamais vu* se spécialise dans des destinations inconnues de ses clients. Ce mois-ci, **elle**❶ offre un voyage à la mer aux girafes de la brousse. **Celles-ci**❷ répondent à l'invitation avec enthousiasme.

Dix girafes montent dans un autobus au toit ouvrant. Le conducteur est un lynx aux yeux perçants. **Il**❸ **leur**❹ crie : « Baissez la tête ! » lorsqu'**il**❺ voit au-dessus de la route des branches d'arbres envahissantes. **Celles-ci**❻ sont si nombreuses que les girafes doivent constamment plier leur long cou.

Arrivées à destination, les passagères ont le torticolis. **Elles**❼ se tournent vers le lynx et **lui**❽ disent : « Nous préférons rentrer en bateau. »

« Vous avez trop de bagages, dit le capitaine de bateau qui accepte de ramener les girafes. **Ils**❾ sont bien trop lourds. Laissez-**les**❿ dans l'autobus. »

« On ne part pas sans **eux**⓫, crient les girafes. **Ils**⓬ contiennent nos trousses de toilette et nos chandails à col roulé. »

Numéro	Pronom	Groupe du nom
Ex. : ❶	elle	l'agence de voyages
❷	Celles-ci	les girafes de la brousse
❸	Il	lynx
❹	leur	girafe
❺	il	lynx
❻	Celles-ci	les branches
❼	Elles	les girafes
❽	lui	lynx
❾	Ils	les bagages
❿	les	les bagages
⓫	eux	les bagages
⓬	Ils	les bagages

3 **a)** Remplace les groupes du nom qui sont entre parenthèses par le pronom qui convient. Biffe ensuite le groupe du nom.

VOIR
PAGE 28

> Utilise des pronoms personnels. Consulte la page 28.

À l'aventure ! (suite)

❶ Le lion, la lionne et les lionceaux ont décidé d'aller en Alaska avec l'agence *Jamais vu*. Le lion est fatigué d'avoir chaud. Ex. : (Le lion) _Il_ rêve de fraîcheur. La lionne est lasse de chasser. (La lionne) _Elle_ voudrait apprendre à pêcher. Les lionceaux aimeraient jouer à autre chose qu'à la cachette dans la savane*. (Les lionceaux) _Ils_ s'imaginent déjà patiner sur la glace.

❷ Toute la famille monte dans l'avion. Les lionceaux sont très excités. (Les lionceaux) _Ils_ courent dans l'allée.

❸ L'agent de bord est un hippopotame un peu grincheux. (L'agent de bord) _Il_ n'a pas le goût de surveiller les lionceaux. Il _leur_ dit donc (aux lionceaux) : « D'après le règlement, vous devez être attachés sur votre siège tout le long du voyage. » La lionne rouspète. (La lionne) _Elle_ dit : « Nous exigeons de voir le commandant de l'avion. »

❹ C'est une panthère qui pilote l'avion. (La panthère) _Elle_ ne veut pas être dérangée. (La panthère) _Elle_ répond donc à la mère lionne : « Je vais vous déposer sur une banquise. »

❺ « Bonne idée, dit la lionne. Ainsi, les phoques m'apprendront à pêcher et mes petits pourront patiner. »

✱ **savane** : étendue d'herbes très hautes.

b) Relis le texte, cette fois avec les pronoms que tu as écrits. Vérifie si le texte a du sens.

Le pronom

4 Lis attentivement les phrases et repère les mots soulignés : *le, la, l', les*.

VOIR
PAGE 29

a) S'il s'agit d'un déterminant, écris « dét. » sous le mot et souligne le groupe du nom dont il fait partie.

b) S'il s'agit d'un pronom, écris « pr. » sous le mot et relie-le à l'aide d'un trait au nom qu'il remplace.

Ex. : La route, je la connais par cœur !
      dét.   pr.

En route !

❶ Samuel choisit l'auto rouge. Il **la** regardait depuis déjà quelques
minutes. Il avait hâte de **la** conduire. Elle semblait plus puissante
que **les** autres autos.

❷ Sabine prit **le** véhicule vert. Elle **l'**avait déjà essayé. Elle avait
aimé **la** fougue de ce bolide. « Tu es prête ? demanda Samuel.
On démarre ! »

❸ **La** course commença. Samuel et Sabine étaient concentrés.
Leurs parents ne **les** entendraient pas pendant quelque temps.
Le jeu vidéo durerait bien 15 minutes…

Le pronom

Consulte la liste des pronoms démonstratifs, page 28.

 5 **a)** Écris le genre et le nombre des GN soulignés.

b) Récris ensuite la phrase en remplaçant le GN souligné par un pronom démonstratif, du même genre et du même nombre.

m. s.

Ex.: Ce jeu-ci se joue avec des cartes. <u>Ce jeu-là</u> se joue avec des figurines.

Celui-là se joue avec des figurines.

1. Roméo a choisi cette figurine-ci. Jules a choisi <u>cette figurine-là</u>.

   _____

2. Hortense aime ce personnage-ci. Angèle préfère <u>ce personnage-là</u>.

   _____

3. Xavier voudrait avoir ces pouvoirs-ci. Vito rêve de <u>ces pouvoirs-là</u>.

   _____

4. Ces cartes-ci représentent des chevaliers. <u>Ces cartes-là</u> représentent des sorciers.

   _____

Le vocabulaire

Un vocabulaire juste et précis

A Au lieu d'utiliser des termes vagues comme « l'affaire », « la chose », « le truc », emploie des **termes précis**. Tu te feras mieux comprendre.

B Tu cherches le nom d'un objet, d'un animal ou d'une plante ? Certains dictionnaires regroupent les illustrations par thème. Tu peux aussi consulter un dictionnaire visuel, une encyclopédie ou Internet.

» 1 Voici différents outils de bricolage.

Donne son nom à chaque outil.

- un écrou
- un boulon
- une équerre
- un marteau
- un mètre à ruban
- une pince
- une scie égoïne
- un tournevis
- une vis

_____   _____   _____

_____   _____   _____

_____   _____   _____

Un vocabulaire juste et précis

2 Voici différents éléments de l'équipement d'un joueur de hockey.

Écris le mot qui convient pour chacun des éléments.

Fais la même chose pour le gardien de but, sur la page de droite.

- un bâton de hockey
- un casque
- un chandail
- une coquille
- une culotte
- une ~~épaulière~~
- une gaine de protection
- un gant
- une genouillère
- un patin
- un protège-coude
- un protège-tibia

Un joueur de hockey

une épaulière

Pense à des mots de la même famille pour déduire le sens de certains mots. Par exemple, dans « brassard », il y a « bras ».

Un vocabulaire juste et précis

- un bâton de gardien de but
- ~~un brassard~~
- un bouclier
- une culotte
- un gant attrape-rondelle
- une jambière
- un patin
- ~~un plastron~~
- un protège-gorge

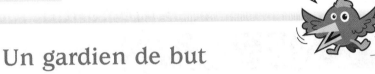

Si ton dictionnaire vient de France, il est possible que quelques définitions ne se rapportent pas au hockey, mais à d'autres sports. Pourquoi ? Parce que, au Canada, le hockey est le sport national, alors qu'en France ce n'est pas un sport très répandu. Tu peux cependant déduire le sens du mot à partir de la définition du dictionnaire et de l'illustration.

Un gardien de but

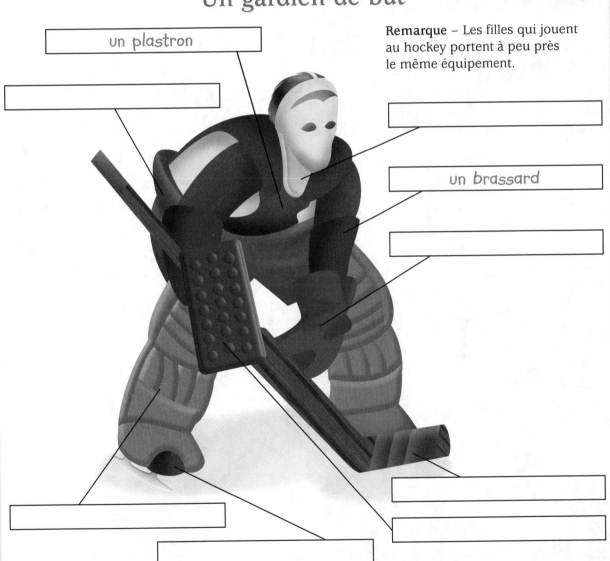

un plastron

Remarque – Les filles qui jouent au hockey portent à peu près le même équipement.

un brassard

Sources de la terminologie : Jean-Claude CORBEIL et Ariane ARCHAMBAULT, *Le visuel junior*, Québec/Amérique, 1993, p. 177. Office québécois de la langue française, *Grand dictionnaire terminologique* [en ligne]. (Consulté le 20 octobre 2006.)

Un vocabulaire juste et précis

3 Voici une illustration d'un centre commercial.

Écris au bon endroit les termes appropriés.

- un chariot
- un panier
- un escalier roulant
- une caisse enregistreuse

- une enseigne
- un étalage
- des magasins
- une vitrine

- un présentoir
- un comptoir

Au centre commercial

Un vocabulaire juste et précis

>>**4** Remplace le verbe *être* et les mots qui le suivent par un verbe. Choisis tes verbes dans la liste.

> Le verbe *être* est très utile. Dans certains cas cependant, on peut utiliser un autre verbe, plus précis.

- s'améliorer
- ~~se développer~~
- embellir
- grandir
- maigrir

Ex.: Grâce à la natation, mes muscles sont de plus en plus développés.

Grâce à la natation, mes muscles se développent.

> N'oublie pas d'accorder tes verbes.

1. Ma chatte est de plus en plus belle.

_____

2. Mes résultats sont meilleurs depuis que je dors mieux.

_____

3. D'année en année, Guillaume est plus grand.

_____

4. Mon chien, lui, est de plus en plus maigre.

_____

>>**5** Modifie les phrases de façon à éviter le verbe *être*. Utilise les verbes suivants.

- ~~choisir~~
- mesurer
- pratiquer
- rêver

Ex.: Son choix est de jouer au hockey.

Il choisit de jouer au hockey.

1. Mon rêve est de jouer dans une ligue.

_____

2. Ma taille est de 156 centimètres.

_____

3. Le sport que je pratique est le soccer.

_____

Des mots synonymes

A Un mot synonyme est un mot qui a un sens semblable à celui d'un autre mot.

Ce petit insecte s'avère très utile.

Ce minuscule insecte s'avère très utile.

Dans ces phrases, *petit* et *minuscule* sont des adjectifs synonymes : ils veulent dire à peu près la même chose.

B Dans un texte, utilise des synonymes pour éviter de répéter les mêmes mots. Utilise un dictionnaire pour les trouver.

>>1 Récris les phrases en remplaçant le verbe *aimer* (et ce qui est souligné) par un verbe synonyme. Choisis parmi les verbes suivants, selon le sens de la phrase.

- ~~adorer~~
- apprécier
- chérir
- préférer
- raffoler
- rêver de

N'utilise chaque verbe qu'une seule fois.

Ex.: Annie aime beaucoup les framboises.

Annie adore les framboises.

On peut écrire « basketball » ou « basket-ball ».

1. Tania joue parfois au basket-ball, car elle aime ce sport. Cependant, elle aime mieux le soccer.

   _____

   _____

2. Renaud aime à la folie la planche à roulettes.

   _____

3. Tristan aime beaucoup son père adoptif.

   _____

4. Sergio aimerait devenir ingénieur.

   _____

Nom : ______________________________ Date : ______________

2 Remplace le verbe *dire* par un synonyme qui convient, selon le contexte. Choisis tes réponses dans la liste de verbes.

- affirmer
- ~~annoncer~~
- déclarer
- demander
- répéter

N'utilise chaque verbe qu'une seule fois.

Ex. : Le juge dit que le procès aura lieu le vendredi 13 novembre.

Le juge ___annonce___ la date du procès.

Au tribunal

1.

Le témoin ______________ :
« Oui, oui, je suis certain, j'ai bien vu le voleur. »

2.

Le juge lui ______________ :
« Êtes-vous bien certain ? »

3.

Le témoin ______________
qu'il a bel et bien vu le voleur.

4.

Le juge ______________
que l'accusé est coupable.

Des mots synonymes

≫**3** **a)** On emploie parfois trop souvent l'adjectif « beau » (« belle » au féminin).
Trouve un adjectif synonyme, selon le contexte.

Choisis tes adjectifs parmi les suivants et accorde-les.

N'utilise chaque adjectif qu'une seule fois.

- admirable
- adorable
- ~~envoûtant~~
- superbe
- ravissant

Ex.: C'était une belle musique, qui m'a envoûtée.

une musique _____envoûtante_____

1. Les gens considèrent que c'est une très belle maison.

une maison _____

2. Mon chat est beau ; je l'adore.

un chat _____

3. Il a fait un beau geste en sauvant cette personne.

un geste _____

4. À la fête, ma mère portait une belle robe, qui lui allait à ravir.

une robe _____

b) Voici deux autres adjectifs synonymes de l'adjectif « beau ». Vérifie leur
sens dans le dictionnaire, puis rédige une phrase avec chacun.

Magnifique : _____

_____

Splendide : _____

_____

Des mots de même famille

Mot de base et mots dérivés

A Beaucoup de mots sont formés à partir d'un autre mot. On appelle **mot de base** le mot qui est à l'origine d'autres mots. Les mots obtenus sont des **mots dérivés**. Ensemble, ils forment une **famille de mots**. Ils ont un sens en commun.

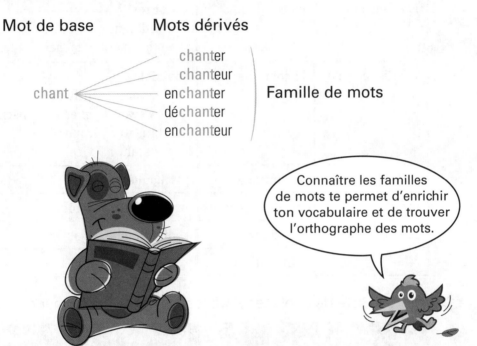

Mot de base   Mots dérivés

chant ⟨ chanter
chanteur
enchanter
déchanter
enchanteur ⟩ Famille de mots

Connaître les familles de mots te permet d'enrichir ton vocabulaire et de trouver l'orthographe des mots.

B Pour former un mot dérivé, on ajoute au mot de base un **préfixe**, un **suffixe**, ou les deux.

Préfixes et suffixes

C Le **préfixe** se place <u>avant</u> le mot de base.
Le verbe « revoir » est formé ainsi :

re   voir
préfixe   **mot de base**

D Le **suffixe** se place <u>après</u> le mot de base.
Le nom « bonté » est formé ainsi :

bon   té
mot de base   **suffixe**

E Certains mots sont formés à l'aide **d'un préfixe et d'un suffixe**.
C'est le cas du nom « déplacement » :

dé   place   ment
préfixe   **mot de base**   **suffixe**

→

Des mots de même famille

F Voici certains **préfixes** très utilisés et leur signification.

Préfixes	Sens	Exemples
dé- (dés-)	le contraire, l'inverse	**dé**monter *dés* devant une voyelle ou un *h* : dés**a**rmer, dés**h**abiller
en- (em-)	dans	**en**tourer *em* devant *b, m* et *p* : em**b**arquer, em**m**ener, em**p**orter
in- (il-, im-, ir-)	le contraire	**in**visible *il* devant *l* : il**l**isible *im* devant *b, m* et *p* : im**b**écile, im**m**ature, im**p**ossible *ir* devant *r* : ir**r**éel
mal-	le contraire	mal**honnête
pré-	avant, devant	pré**scolaire, pré**venir
re- (ré-, r-)	répétition	re**dire, ré**élire, r**ajouter
télé-	loin, à distance	télé**phone

G Voici une liste de quelques **suffixes** qui servent à former des noms.

Suffixes	Sens	Exemples
-ade	Les noms en -**ade** expriment souvent une action.	la baign**ade** la boscul**ade**
-ette	Le suffixe -**ette** exprime souvent un diminutif.	une fill**ette** (une petite fille) une maisonn**ette** (Ici, on double le *n*.)
-ien, -ienne -ier, -ière -iste	Ces suffixes servent souvent à désigner des personnes qui exercent un métier, une occupation.	un coméd**ien**, une coméd**ienne** un coutur**ier**, une coutur**ière** un ou une fleur**iste**

Pour écrire correctement un mot, pense à un mot que tu connais et qui est de la même famille que ce mot.

Des mots de même famille

>> **1** Écris le mot qui est à la base de chaque famille de mots.

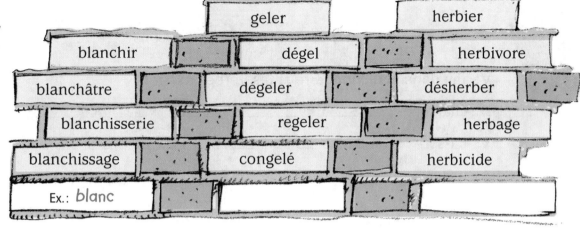

geler		herbier
blanchir		dégel		herbivore
blanchâtre		dégeler		désherber	
blanchisserie		regeler		herbage
blanchissage		congelé		herbicide
Ex.: *blanc*			

>> **2** Donne une famille à chaque mot ! Trouve au moins trois mots pour chacun.

> **Attention !** Deux mots de la même famille ne se ressemblent pas seulement par la forme : ils doivent aussi être parents par le **sens**. Par exemple, les mots « colle » et « collation » se ressemblent par la forme, mais ils n'ont rien en commun sur le plan du sens ! Ce ne sont pas des mots de la même famille.

1. changer

2. noir

3. colle

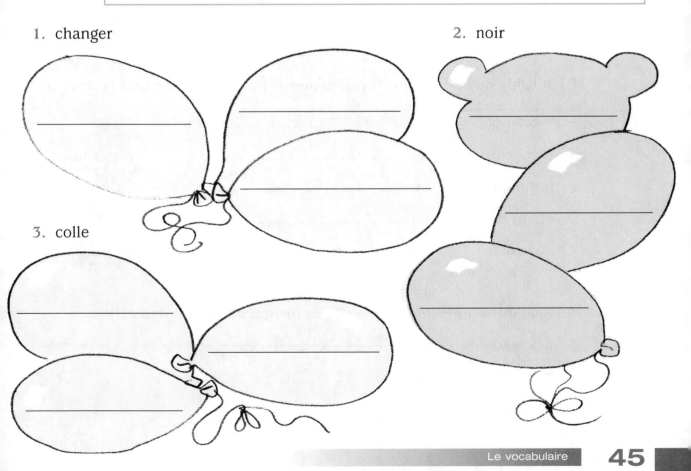

Des mots de même famille

3 À l'aide de préfixes, forme deux verbes de la même famille.
Voici une liste de préfixes.

> • co-   • en- (em-)   • dé-   • pré-   • sous-   • re-

Vérifie dans le dictionnaire si tes verbes existent.

Ex.: chanter   _déchanter_   _enchanter_

1. passer   _____   _____
2. mêler   _____   _____
3. mener   _____   _____
4. vêtir   _____   _____

4 a) À l'aide du suffixe *-iste*, forme des noms qui désignent un métier.

Ex.: dent   un ou une _dentiste_

1. pompe (pompe à essence)   un ou une _____
2. piano   un ou une _____
3. journal   un ou une _____

b) À l'aide du suffixe *-ien*, forme d'autres noms qui désignent un métier.

Ex.: mécanique   un _mécanicien_

1. musique   un _____
2. informatique   un _____
3. chirurgie   un _____
4. comédie   un _____

5 À l'aide du suffixe *-ade*, forme des noms qui désignent une action.

1. promener   une _____
2. bain   une _____
3. se balader   une _____

Des mots contraires ou « antonymes »

A L'**antonyme** d'un mot est un mot qui veut dire le contraire de ce mot.

> J'adore les kiwis.
>
> Je déteste les kiwis.

Dans ces phrases, *adorer* et *détester* sont des verbes antonymes : chacun est le contraire de l'autre.

B Quelques antonymes sont formés à l'aide d'un **préfixe**.

> faire   → défaire
>
> compétent → incompétent
>
> adroit   → maladroit

C Parfois, au lieu d'utiliser une négation, il vaut mieux recourir à un antonyme. Cela rend la phrase moins lourde.

> Ce travail **n'est pas parfait**. → Ce travail est imparfait.

≫ 1 À l'aide d'un préfixe, donne l'antonyme (le contraire) des mots suivants.

Consulte le tableau des préfixes, page 44.

1. habiller _____

2. placer _____

3. stable _____

4. adroit _____

5. humain _____

6. tacher _____

7. espérer _____

8. prévu _____

9. responsable _____

10. légal _____

2 Remplace chaque mot en caractères gras du texte **A** par un antonyme. Écris ce mot antonyme dans le texte **B**.

Chaque mot ne peut être utilisé qu'une seule fois.

Mets les verbes à l'indicatif présent et accorde-les avec le sujet.

- inefficace
- salir
- ~~désapprouver~~
- énorme
- détester
- stupide
- rapidement
- déplacer
- horripiler (= faire horreur)

A

Un robot apprécié

1. Mes parents ont acheté un robot qui fait le ménage. J'**approuve** cet achat.

2. Ce **minuscule** robot est **intelligent**!

3. Il **adore** venir dans ma chambre.

4. Il **place** chaque chose et il la **nettoie** énergiquement.

5. Il travaille **lentement**, mais il est **efficace**.

6. Ce robot me **séduit**!

B

Un robot non apprécié

1. Mes parents ont acheté un robot qui fait le ménage. Je _désapprouve_ cet achat.

2. Cet _____ robot est _____ !

3. Il _____ venir dans ma chambre.

4. Il _____ chaque chose et il la _____ énergiquement.

5. Il travaille _____ , mais il est _____ .

6. Ce robot m'_____ !

La phrase et la ponctuation

La phrase

A Une **phrase**, c'est un ensemble de mots ordonnés, qui a du sens.

forêt brusquement ours l' surgi la de a $\left\{\begin{array}{l}\text{Ce sont des mots, mais l'ensemble} \\ \text{ne veut rien dire. Cela ne forme} \\ \text{pas une phrase.}\end{array}\right.$

L'ours a surgi brusquement de la forêt. $\left\{\begin{array}{l}\text{Ce sont les mêmes mots que} \\ \text{dans l'exemple précédent, mais} \\ \text{ils sont placés dans un certain} \\ \text{ordre. L'ensemble a un sens.} \\ \text{C'est une phrase.}\end{array}\right.$

B Une phrase commence par une lettre **majuscule** et se termine par un **point**.

C En général, une phrase comprend un **groupe sujet** et un **groupe du verbe**.

Phrase 1   Sandra chante merveilleusement.

Phrase 2   La musique berce nos cœurs.

Le groupe sujet et le groupe du verbe

D Le **groupe sujet**, c'est de qui ou de quoi parle la phrase.
Dans la phrase 1, on parle de Sandra.
Dans la phrase 2, on parle de la musique.

E Le **groupe du verbe**, c'est ce qu'on dit à propos du sujet.
Dans la phrase 1, on dit de Sandra qu'elle chante merveilleusement.
Dans la phrase 2, on dit de la musique qu'elle berce nos cœurs.
Le verbe conjugué est le mot le plus important du groupe du verbe.

F En général, le groupe sujet est placé avant le groupe du verbe.

1 Choisis un mot par colonne afin de former une phrase. Souligne ce mot.

Écris ensuite la phrase que tu as obtenue.

N'oublie pas la majuscule au début de la phrase et le point final.

Ex. :

je	oiseaux	sincères	vient	des	grises	vraies	des	année
les	parle	lentement	onze	mille	longs	distances	avec	fleurs
le	vœux	migrateurs	parcourent	enfin	longues	tortues	chaque	souvent

Les oiseaux migrateurs parcourent des longues distances chaque année.

A.

tu	marches	mangent	jamais	savoureuses	rongeurs
les	airs	les	des	petits	odeurs
ce	faucons	beaucoup	une	avec	partir

_____

> Attention ! Tu dois absolument prendre un mot dans chacune des colonnes. Tu devras parfois faire plusieurs hypothèses avant de trouver la solution.

B.

certains	lune	s'orientent	grâce à	avec	position	ou	loup
la	oiseaux	vu	autour	parfois	soleil	des	pensées
nous	avons	tourne	sinon	la	Terre	trois	astres

_____

_____

C.

hier,	nous	regarderez	un	splendide	journée	et	alors	mangerai
demain,	j'ai	irons	à	la	colibri	film	je	femelle
ce soir,	ils	observé	car	très	bon	parfois	sa	triste

_____

_____

La phrase

2 Mets les majuscules et les points aux endroits appropriés, afin de bien délimiter les phrases.

> Quand tu hésites, fais des essais dans ta tête : formule une seule phrase à la fois, l'une après l'autre.

Il y a trois cents ans

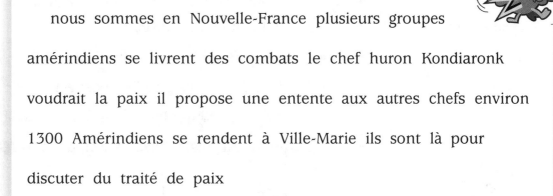

nous sommes en Nouvelle-France plusieurs groupes amérindiens se livrent des combats le chef huron Kondiaronk voudrait la paix il propose une entente aux autres chefs environ 1300 Amérindiens se rendent à Ville-Marie ils sont là pour discuter du traité de paix

Kondiaronk dirige la rencontre il fait un long discours tout à coup, il a un malaise les Français le transportent à l'hôpital Kondiaronk meurt

deux jours plus tard, les chefs amérindiens signent le traité de paix cet accord est appelé « la Grande Paix de Montréal » il a été signé le 4 août 1701 un timbre canadien créé en 2001 rappelle cet événement

Le timbre commémorant *la Grande Paix de Montréal*.

3 Forme des phrases en donnant à chaque
groupe sujet un groupe du verbe.

> Si tu tiens compte
> du sens de la phrase
> et des finales des verbes,
> un seul groupe du verbe
> convient à chaque
> groupe sujet.

Groupe sujet				Groupe du verbe

Ex.: Je ● ● a. les a en horreur.

1. Mon père ● ● b. se moquent de moi et de mes insectes.

2. Les insectes ● ● c. collectionne les insectes.

3. Mon frère et ma sœur ● ● d. voudrais en ajouter d'autres à ma collection.

4. Nous ● ● e. m'as donné tes plus beaux spécimens.

5. Je ● ● f. sont beaucoup plus nombreux que les humains.

6. Tu ● ● g. allons parfois à l'Insectarium de Montréal.

   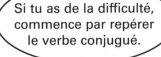

4 Dans chaque phrase, mets le groupe sujet entre
crochets et souligne le groupe du verbe.

> Si tu as de la difficulté,
> commence par repérer
> le verbe conjugué.

Ex.: [La distraction] <u>fait parfois rire</u>.

1. Ce jeune enfant est distrait.

2. Il a rangé son devoir dans le réfrigérateur.

3. Ses travaux étaient dans le panier à linge sale.

4. Chaque jour, son enseignante et ses parents
essaient de le corriger.

Les différents types de phrases

A La **phrase déclarative** est la phrase la plus employée. C'est celle qui affirme, qui constate, qui déclare.

Elle se termine par un **point**.

> Plusieurs musiciens québécois séduisent le monde entier.
>
> Le métier d'artiste n'est pas toujours facile.

B La **phrase exclamative** exprime avec émotion un sentiment ou une opinion.

Elle se termine par un **point d'exclamation**.

> Comme cette chanson est bouleversante !

= groupe sujet ou sujet

= groupe du verbe

C La **phrase interrogative** pose une question.

Elle se termine par un **point d'interrogation**.

> Est-ce que vous connaissez ce chanteur ?
>
> Aimez-vous sa musique ?

D La **phrase impérative** exprime un ordre, un conseil ou une demande.

Elle se termine par un **point** ou, parfois, par un point d'exclamation. Elle n'a pas de groupe sujet.

> Écoutez ce groupe de musiciens.
>
> Faites vite !

Construire une phrase déclarative

A Chaque fois que tu veux annoncer, décrire, constater, affirmer quelque chose, tu as besoin d'une **phrase déclarative**.

Remarque – En général, dans un texte, la majorité des phrases sont des phrases déclaratives. Apprends donc à bien les construire.

B Pour construire une **phrase déclarative**, tu dois utiliser un **groupe sujet** (GS) et un **groupe du verbe** (GV). C'est obligatoire !

GS	GV
Les pirates	pillaient les navires.
Le chef des pirates	était un être cruel et sans pitié.

C Termine les phrases déclaratives par un **point**.

Construire une phrase déclarative

 a) À partir des renseignements donnés dans le tableau, rédige deux ou trois phrases déclaratives sur le requin ou sur le béluga.

Un requin.

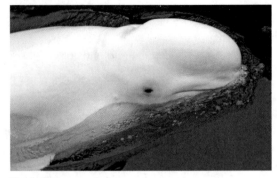

Un béluga.

Animal	Classe	Longévité moyenne	Habitat
Tortue de mer	Reptiles	50 ans	La mer et les rivages
Requin	Poissons	Entre 20 et 30 ans	La mer et, parfois, certains fleuves
Béluga	Mammifères	Entre 30 et 35 ans	Les eaux arctiques et subarctiques du globe, l'estuaire du fleuve Saint-Laurent

Ex.: La tortue de mer appartient à la classe des reptiles. Elle peut vivre 50 ans. Cet animal marin vit dans la mer et sur les rivages.

Le requin est dans la classe du poissons.
Le requin peuvent vie entre 20 et 30 ans.
Le requin habite dans la mer et

b) Pour vérifier si chacune de tes phrases est bien construite :

   1° mets le groupe sujet (GS) entre crochets et souligne le groupe du verbe (GV);

   2° surligne la majuscule du début de la phrase et le point final.

Ex.: [La tortue de mer] appartient à la classe des reptiles.

Construire une phrase déclarative

 2 Un comité organise une fête à l'école. Afin de préparer le repas, des élèves ont mené une enquête auprès des élèves de 3ᵉ et de 4ᵉ année pour connaître leur boisson préférée. Ils ont présenté les résultats dans un tableau.

Boissons	Élèves de 3ᵉ année	Élèves de 4ᵉ année	Total
Citronnade	4	0	4
Jus de pomme	8	6	14
Jus d'orange	2	4	6
Lait	10	12	22
Lait au chocolat	4	6	10
Total	**28**	**28**	**56**

a) Rédige cinq phrases déclaratives à partir du tableau. Mets tes verbes à l'indicatif présent ou au passé composé.

Varie tes verbes : *choisir, opter pour, préférer, privilégier, retenir,* etc.

Ex. : Six élèves de 4ᵉ année ont choisi le lait au chocolat.

1. Quatre élèves de 3e anné préférentle citronade et zéro élèves de 4e année n'aiment pas la citronade

2. Huit élèves de 3e année aiment le jus de pomme et six élèves det 4e année aiment le jus pomme

3. Deux élèves de 3e année ont choisi jus d'orange et quatre élèves de 4e année ont opté jus d'orange.

4. Dix élèves de 3e année aime le lait et douze élèves de 4e année choisissent le lait.

5. Quatre élèves de 3e année aiment le lait au chocolat et six élèves de 4e année aiment le lait au chocolat.

⊠ Pour vérifier si chacune de tes phrases est bien construite :

1° mets le groupe sujet (GS) entre crochets et souligne le groupe du verbe (GV);

2° surligne la majuscule du début de la phrase et le point final.

Ex. : [Six élèves de 4ᵉ année] ont choisi le lait au chocolat.

Construire une phrase déclarative

 3 Lis le texte suivant. À partir des renseignements contenus dans le texte, dresse la fiche descriptive de la mangue.

La mangue

La mangue est un fruit tropical, originaire de l'Inde. Sa forme est ronde ou ovale. Sa peau va du vert au rouge en passant par le jaune. La chair est jaune foncé, juteuse et très sucrée. Certaines variétés ont un goût de miel. La mangue est très riche en vitamine A. Elle constitue aussi une bonne source de vitamine C et de minéraux.

On la mange crue, découpée en tranches ou en dés. Elle sert souvent à faire des desserts comme des glaces ou des sorbets. Elle accompagne très bien le riz, les viandes et les poissons.

Dans une fiche descriptive, on ne met que des renseignements brefs, sans faire de phrase. Tu as un modèle à la page suivante. Observe-le bien !

Fiche descriptive

La mangue

Origine : • *Inde ggue*

Apparence : • *il est vert, rouge,*
• *et jaune.*

Caractéristiques de la chair :
• *c'est sucré*
• *ont peu goût la miel*

Éléments nutritifs : • Vitamine A
• *vitamine c*

Utilisation :
• *pour manger*
• *dessert*

Construire une phrase déclarative

4 À partir de la fiche descriptive, rédige un texte de quatre ou cinq phrases sur la papaye.

spire-toi
te de la page
écédente.

Fiche descriptive

La papaye

	Origine :	• Amérique centrale
	Apparence :	• Forme d'une poire
		• Peau très fine, verte ou jaune
Caractéristiques de la chair :		• Chair sucrée et parfumée, savoureuse
		• Couleur jaunâtre à orange
		• Petites graines noires comestibles
Éléments nutritifs :		• Riche en vitamine C
		• Contient du fer, du potassium et du calcium
Utilisation :		• Nature, seule ou en salade
		• Confitures ou autres desserts
		• Nombreux plats

La papaye

La papaye vien de l'Amérique centrale. Elle a la forme d'une poire et la peau est très fine, et elle est verte ou jaune. La chair est sucré et parfumé et c'est savoureuse. La couleur est jaune et orange. La papaye à des petites graines noires comestilbles.

Construire une phrase exclamative

(A) Pour exprimer un jugement ou une émotion de façon intense, tu peux recourir à une **phrase exclamative**.

(B) Pour construire une **phrase exclamative**,

- commence ta phrase par un **mot exclamatif** (*comme, que* ou *quel*) ;
- termine-la par un point d'exclamation !.

> Comme la vie de cet homme est fascinante !
>
> Que ses exploits sont palpitants !
>
> Devant une voyelle : Qu'
>
> Qu'il m'impressionne !

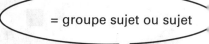 = groupe sujet ou sujet

(C) Les mots **comme** et **que** s'écrivent toujours de la même façon ; ce sont des mots invariables.

(D) Le mot **quel** est un déterminant : il s'accorde avec le nom qu'il accompagne.

> Quel talent cette musicienne a !
>
> Quelles magnifiques œuvres elle compose !

Dans le célèbre conte, quand le Petit Chaperon rouge est entré dans la chambre de sa grand-mère, il a utilisé des phrases exclamatives.

Transforme les phrases déclaratives suivantes en phrases exclamatives, pour reproduire les paroles du Petit Chaperon rouge. Utilise les mots exclamatifs « Comme » ou « Que ».

Ex.: Phrase déclarative : Grand-mère, vous avez des grandes dents.

Phrase exclamative : *Grand-mère, comme vous avez des grandes dents!*

ou : Grand-mère, que vous avez des grandes dents!

1. Phrase déclarative : Vous avez des grandes oreilles.

Phrase exclamative : *Comme vous avez des grandes oreilles*

2. Phrase déclarative : Vous avez un grand nez.

Phrase exclamative : *Comme vous avez un grand nez!*

3. Phrase déclarative : Vous avez une grande bouche.

Phrase exclamative : *Comme vous avez une grande bouche!*

Construire une phrase interrogative

Pour poser une question, tu dois utiliser une **phrase interrogative**.
Voici quatre manières de construire une telle phrase.

Dans tous les cas, n'oublie pas le **point d'interrogation** ? à la fin
de la phrase.

A **Méthode 1 : avec *Est-ce que*.**

Commence ta phrase par ***Est-ce que***. Le groupe sujet et
le groupe du verbe suivent, comme dans une phrase déclarative.

Est-ce que Léo connaît bien les ordinateurs ?	***Est-ce que*** devient ***Est-ce qu'*** devant une voyelle.
Est-ce qu'il est habile ?	
Est-ce que tu vas suivre son exemple ?	

B **Méthode 2 : avec un pronom sujet placé après le verbe.**

Si le sujet est un pronom personnel, tu peux commencer ta phrase
par le verbe. Le pronom suit.

Veux-tu envoyer un courriel à ton grand-père ? 　**V**　**pr.**	Remarque bien le **trait d'union** entre le verbe et le pronom.
Aime-t-il l'informatique ?	Lorsque le verbe finit par une voyelle, on met un *t* entre le verbe et le pronom.
Va-t-elle au laboratoire ?	
Avez-vous cliqué sur cette icône ? **auxil. pr.**　**p. p.**	Lorsque le verbe est formé de deux mots, comme au passé composé, le pronom sujet se met entre les deux (entre l'auxiliaire et le participe passé).

C **Méthode 3 : avec un groupe du nom sujet repris par un pronom.**

- Commence ta phrase par le groupe du nom sujet.
- Place le verbe et ajoute, après le verbe, un pronom du même genre
  et du même nombre que le nom : *il, ils, elle* ou *elles*.

Tes parents connaissent-<u>ils</u> bien les ordinateurs ? 　**GN**　　　　**V**　　**pr.**	Remarque bien le **trait d'union** entre le verbe et le pronom.
Ta sœur sait-<u>elle</u> naviguer sur Internet ? 　**GN**　**V**　**pr.**	Ne l'oublie pas !

Construire une phrase interrogative

D **Méthode 4 : avec un mot interrogatif.**

Commence ta phrase par un mot interrogatif (par exemple : *pourquoi*, *combien*).

- Si le sujet est un pronom, l'ordre est le suivant : mot interrogatif, verbe, pronom sujet. (Même ordre que dans la méthode 2.)

    Pourquoi veux-tu envoyer un courriel à ton grand-père ?

    Quand allez-vous recevoir votre portable ?

- Si le sujet est un GN, l'ordre est le suivant : mot interrogatif, GN sujet, verbe et pronom. (Même ordre que dans la méthode 3.)

    Pourquoi Roberto part-il si vite ?

= GS

un GN, repris par un pronom du même genre et du même nombre

Remarque – Quand le pronom « Qui » est sujet, il n'y a pas de pronom après le verbe.

    Qui a claqué la porte ?

Quelques mots interrogatifs	Exemples
combien	Combien coûte ce gâteau ? *ou :* Combien ce gâteau coûte-t-il ?
comment	Comment voyages-tu ?
où	Où allez-vous ?
pourquoi	Pourquoi avez-vous pris ce chemin ?
quand	Quand mangerez-vous ce dessert ?
qui	Qui a parlé ?
qu'est-ce que	Qu'est-ce que vous avez apporté ?
quoi, à quoi, de quoi	À quoi pensez-vous ?
lequel, laquelle, lesquels, lesquelles	Lequel prends-tu ? Laquelle Lili veut-elle ?
quel, quelle, quels, quelles	Quel livre as-tu lu ? Quelle musique préfères-tu ?

Construire une phrase interrogative

VOIR
PAGE 59, A

1 Transforme les phrases déclaratives suivantes en phrases interrogatives. Utilise la méthode 1, avec *Est-ce que*.

Ex. : Tu as épousseté le panache de l'orignal.

Est-ce que tu as épousseté le panache de l'orignal ?

1. La girafe se gratte le cou.

Est-ce que la giraffe se gratte le cou ?

2. Le lion a besoin d'aide pour se coiffer.

Est ce que le lion a besoin d'aide pour ce coiffer ?

3. L'hippopotame se brosse les dents tous les jours.

Est ce que l'hippopotame se brosse les dents tous les jours ?

4. J'ai lavé trop énergiquement les taches du léopard.

Est ce que j'ai lavé trop énergiquement les taches du léopard ?

VOIR
PAGE 59, B

2 Transforme les phrases déclaratives suivantes en phrases interrogatives. Utilise la méthode 2, avec le pronom sujet placé après le verbe.

Ex. : Tu devrais manger plus de fruits et de légumes.

Devrais-tu manger plus de fruits et de légumes ?

1. Elle veut encore du dessert.

Veut-elle encore du dessert.

2. Vous préférez le brocoli au chou-fleur.

Préférez-vous le brocoli au chou-fleur.

3. Ils sont allergiques aux crevettes.

Sont-ils allergiques aux crevettes.

Construire une phrase interrogative

3 Transforme les phrases déclaratives suivantes en phrases interrogatives. Utilise la méthode 3, celle où le groupe du nom sujet est repris par un pronom.

VOIR
PAGE 59, C

Ex. : Fabiola compose des fables rigolotes.

Fabiola compose-t-elle des fables rigolotes ?

1. Prunelle aime les prunes.

Prunelle aime-t-elle les prunes ?

2. Chantal étudie le chant.

Chantal étudie-t-elle le chant ?

3. Zénon et Zoé zézayent.

Zénon et Zoé zézayent-ils ? zézayent-ils ?

4. Le chien Médor dort tout le temps.

Le chien Médor dort-il tout le temps ?

4 Voici les réponses que Mathilde donne à sa mère. Écris les questions que sa mère lui a posées auparavant. Utilise la méthode 4 : commence tes questions par un mot interrogatif.

VOIR
PAGE 60, D

Ex. : Pourquoi es-tu en retard ?

Je suis en retard parce que j'ai joué après l'école.

1. Avec qui jouais-tu avec ?

Je jouais avec Noémie.

2. Où étiez-vous ?

Nous étions au parc.

3. Comment êtes-vous allés au parc ?

Nous sommes allées au parc à bicyclette.

4. Quand vas-tu faire ton devoir ?

Je vais faire mon devoir après le souper.

Construire une phrase impérative

A Pour exprimer un ordre, donner un conseil ou formuler une demande, tu peux utiliser une **phrase impérative**.

B Pour construire une phrase impérative, mets le verbe à l'**impératif**, sans groupe sujet. Termine-la par un **point**.

(Au sujet de l'impératif, tu peux consulter la page 132.)

Le verbe à l'impératif n'existe qu'à trois personnes :

2e pers. s.
Range tes chaussettes dans le tiroir.

1re pers. pl.
Rentrons à la maison avant l'orage.

2e pers. pl.
Prêtez-moi cet outil, s'il vous plaît.

Remarque – Si ton ordre ou ta demande doivent être exprimés avec vigueur, tu peux terminer ta phrase impérative par un point d'exclamation.

Reviens ici immédiatement !

À l'impératif présent, un verbe en *-er* (comme *aimer*) ne prend pas de *s* à la 2e personne du singulier. Observe et écoute bien !

>> 1 Transforme les phrases déclaratives suivantes en phrases impératives.

Ex. : Tu observes le comportement des insectes.

<u>Observe le comportement des insectes.</u>

1. Tu choisis des insectes de ton environnement.

   <u>Suis tu leur trajet.</u>

2. Tu suis leur trajet.

   <u>Notes tu leurs actions.</u>

3. Tu notes leurs actions.

   <u>Échangeons nos observations.</u>

4. Nous échangeons nos observations.

   <u>Écoutez vous leurs remarques.</u>

5. Vous écoutez leurs remarques.

2 Marco aime bien donner des ordres...

Écris ses paroles, à l'aide de phrases impératives.

VOIR
PAGE 63, B

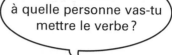
Attention :
à quelle personne vas-tu
mettre le verbe ?

Ex.: Il dit à son petit frère de ranger les jouets.

Range les jouets.

1. Il dit à ses amis d'apporter des ballons.

Apporte des ballons.

2. Il dit à son chien de sortir dehors.

Sortir dehors.

3. Il dit à sa sœur de manger sa soupe.

Mange ta soupe.

4. Il demande à ses parents d'écouter sa chanson.

Écoute ma chanson.

3 Imagine ce que dit le père à son enfant. Écris deux phrases impératives.

Range les jouets.
Vaste coucher.

Construire une phrase impérative

 4 Écris à l'impératif les verbes donnés dans la marche à suivre.
Tu obtiendras des instructions pour faire un bricolage.

Un soleil tous les jours

Matériel

Pâte à modeler à cuire
Verre
Couteau en plastic (pour pâte à modeler)
Cure-dents
Deux cordelettes ou deux bouts de ficelle

> Les phrases impératives sont utiles pour donner des instructions. On les trouve dans les modes d'emploi, dans des recettes et… dans les consignes des cahiers d'activités !

Marche à suivre

1. *Pétrir*   _Pétris_ _____ une boule de pâte à modeler.

2. *Écraser*   _Écrase_ _____ ta boule de pâte à l'aide d'un verre.

3. *Couper*   _Coupe_ _____ la pâte autour du verre

    conserver   et _conserve_ _____ le cercle obtenu.

4. *Façonner*   _Façonne_ _____ des petites boules pour faire les yeux et le nez du soleil.

5. *Former*   _Forme_ _____ un petit boudin pour obtenir la bouche.

6. *Aplatir*   _Aplatir_ _____ une bande de pâte jaune

    découper   et _découpe_ _____ -la : ce seront les rayons du soleil.

7. *Disposer*   _Dispose_ _____ les rayons autour du soleil.

8. *Perforer*   _Perfore_ _____ les deux rayons du haut à l'aide d'un cure-dents.

9. *Mettre*   _Mets_ _____ ton soleil au four* dix minutes, en présence d'un ou d'une adulte.

10. *Passer*   _Passer_ _____ les cordelettes dans les trous. Tu peux ainsi suspendre ton soleil.

> Attention ! Si tu fais cuire ton soleil, tu dois absolument demander à un ou une adulte de t'aider.

*Suivre les instructions du fabricant.

La phrase de forme négative

A Une phrase peut être de **forme positive** ou de **forme négative**.

B La phrase de forme **négative** exprime le contraire d'une phrase de forme positive. Elle sert à nier ou à interdire quelque chose.

Phrases de forme positive	Phrases de forme négative
José marche vite. phrase déclarative positive	**José** ne **marche** pas **vite.** phrase déclarative négative
Viens chez moi. phrase impérative positive	Ne **viens** pas **chez moi.** phrase impérative négative

C On peut construire une phrase négative avec *ne... pas, ne... plus, ne... jamais*.

- Le verbe conjugué se met entre *ne* et un autre mot de négation comme *pas, plus, jamais*.

  Vincent joue aux échecs. → Vincent ne joue pas aux échecs.

  Vincent ne joue plus aux échecs.

  Vincent ne joue jamais aux échecs.

- Si le verbe est formé de deux mots, comme au passé composé, c'est le premier mot (l'auxiliaire) qu'on met entre les deux mots de négation.

  Charles a dessiné. → Charles n'a pas dessiné.

Remarque – Devant une voyelle ou un *h* muet, *ne* devient *n'*.

D On peut construire une phrase négative avec *personne... ne, rien... ne*.

- Ces mots de négation viennent avant le verbe.

  Tout le monde a dansé. → Personne n'a dansé.

  Tout plaît à Marie. → Rien ne plaît à Marie.

  Remarque – Les mots « Personne » et « Rien » sont ici des pronoms. Ils sont sujets. Le verbe qui suit est au singulier.

Attention ! On met deux mots de négation, pas trois !

  Personne n'a ~~pas~~ dansé.

  Il n'y a ~~pas~~ personne.

Réfléchis bien. S'il « n'y a **pas** personne », c'est qu'il y a quelqu'un !

La phrase de forme négative

1 Jacob et Rosalie ont assisté tous deux à la même soirée. Rosalie n'est pas du tout d'accord avec le compte rendu fait par Jacob. Elle le reprend en mettant toutes les phrases à la forme négative.

a) Souligne les verbes conjugués des phrases de Jacob. Lorsque le verbe est composé de deux mots, entoure aussi l'auxiliaire.

> Tu as oublié qu'est un auxiliaire ? voir à la page 124, B.

Compte rendu de Jacob

Les participants étaient calmes.

L'animateur a dirigé le spectacle convenablement.

Les différents numéros d'artistes ont commencé à l'heure prévue.

Les gens ont applaudi chaleureusement.

Le directeur était satisfait de la soirée.

Vraiment, la soirée fut agréable.

VOIR
PAGE 66, C

b) Poursuis le compte rendu de Rosalie en mettant les phrases de Jacob à la forme négative.

Dans chaque phrase, souligne les deux mots de négation que tu emploies.

Compte rendu de Rosalie

Les participants n'étaient pas calmes.

l'animateur n'a pas dirigé le spectacle convenablement

les différents numéros d'artistes ont n'ont pas comancé a l'heure prévue. les gens n'ont pas applaudi chaleureusement

le directeur n'était pas satisfait de la soirée. Vraiment ne pas agréable

La phrase de forme négative

 2 Observe les deux illustrations. Décris l'enfant B en transformant les phrases de A en phrases négatives.

A.  **B.**

Ex.: Gabriel a les cheveux noirs.

Gabriel n'a pas les cheveux noirs.

1. Il porte des lunettes.

1. *Il ne porte pas des lunettes.*

2. Il a mis sa casquette.

2. *Il n'a pas mis sa casquette.*

3. Il a l'air content.

3. *Il n'a pas l'air content.*

3 a) Mets les phrases à la forme négative en utilisant *personne... ne* ou *rien... ne*.

 VOIR PAGE 66, D

Ex.: Tout le monde est venu à la fête de Sidonie.

Personne n'est venu à la fête de Sidonie.

1. Tout plaisait à Sidonie.

Personne plaisait à Sidonie.

2. Tout le monde voulait danser avec Sidonie.

Personne ne voulait danser avec Sidonie.

3. Tout fonctionnait.

Rien ne foncionnait

4. Tout faisait rire Sidonie.

Rien ne faisait rire Sidonie.

5. À 22 h, tout le monde était parti.

A 22h, Personne n'était parti

b) Vérifie tes phrases négatives : as-tu mis deux mots de négation ? Souligne-les.

Des signes de ponctuation

Le point

A Le point indique la fin d'une phrase.

B Une phrase déclarative se termine par un **point**.

> La partie de hockey aura lieu à 19 heures.

C Une phrase exclamative se termine par un **point d'exclamation**.

> Comme cette partie est exaltante !

D Une phrase interrogative se termine par un **point d'interrogation**.

> Avez-vous déjà assisté à une partie de hockey ?

E Une phrase impérative se termine généralement par un **point**, parfois par un **point d'exclamation**.

> Va te coucher.
> Venez jouer avec nous !

La virgule

Voici quelques cas d'emploi de la virgule.

F La virgule sépare les éléments d'une **énumération**, sauf devant les mots *et, ou.*

> Les personnages sont un robot, une princesse, une fée et une sorcière.
> Aimerais-tu mieux rencontrer le robot, la princesse, la fée ou la sorcière ?

G La virgule sert à séparer un groupe de mots qui donne des **indications de lieu** ou **de temps** et qui est placé **au début de la phrase**.

> Dans un laboratoire secret, une sorcière préparait ses potions.
> L'autre jour, elle a réussi un coup d'éclat.

H La virgule sert à détacher les mots qui indiquent **qui parle**, lorsque ces mots sont à la fin de la phrase ou au milieu de la phrase.

> J'ai fait une bêtise, dit la sorcière.
> Cela ne fait rien, répond le robot, je vais recommencer.

I La virgule sert à détacher les mots qui indiquent **à qui on parle**.

> Paula, apporte-moi ces petits vers de terre.

1 Mets le point qui convient à la fin de chaque phrase : un point $\boxed{.}$, un point d'exclamation $\boxed{!}$ ou un point d'interrogation $\boxed{?}$.

VOIR
PAGE 69, B à E

Utilise un crayon de couleur.

Crapaud ou grenouille ?

Savez-vous la différence entre un crapaud et une grenouille ☐

Tous les deux ont des gros yeux et une grande bouche ☐ Tous les deux ont des longues pattes postérieures* ☐ C'est pourquoi il n'est pas facile de les distinguer ☐

En général, la peau des crapauds est recouverte de verrues ☐ Elle est plus sèche que la peau des grenouilles ☐ Celle des grenouilles est lisse ☐ Les pattes postérieures et les pieds de ces dernières sont plus grands ☐ Comme les grenouilles sautent loin et haut ☐ Comme elles sont habiles pour attraper un insecte au vol ☐

Savez-vous comment les crapauds chassent ☐ Eh bien, ils attendent qu'un insecte passe près d'eux ☐ Ils projettent alors leur langue et avalent l'insecte d'une seule bouchée ☐

La prochaine fois, saurez-vous différencier un crapaud d'une grenouille ☐

Un crapaud.

Une grenouille.

✱ **pattes postérieures** : les pattes de derrière.

Des signes de ponctuation

2 Corrige les énumérations des phrases suivantes. Ajoute les virgules manquantes de même que le mot *et*.

VOIR
PAGE 69, F

Un cachalot.

Ex.: Le rorqual bleu, le cachalot, l'orque et la baleine bleue sont des baleines, plus précisément des «cétacés». Ce sont tous des mammifères.

1. Les tortues les crocodiles les lézards les serpents forment les quatre principaux groupes de reptiles.

2. Parmi les lézards, mentionnons le gecko l'iguane le lézard vert le caméléon le moloch.

3. Le groupe des crocodiles comprend le crocodile du Nil l'alligator le gavial le caïman.

3 **a)** Mets les virgules nécessaires dans les phrases suivantes. Il en manque 10.

1. Au printemps on sort les culottes courtes les casquettes les t-shirts et les blousons légers.

2. À l'automne on sort les mitaines les tuques les écharpes et les manteaux chauds.

3. L'année dernière Lucio a appris à faire du vélo et du patin à roues alignées.

4. Dans le parc municipal on peut se balancer glisser grimper et courir.

b) Les virgules que tu as ajoutées correspondent à deux cas d'emploi. Lesquels ?

• La virgule pour _____

_____

• La virgule pour _____

_____

4 **a)** Mets les virgules qui manquent dans les phrases suivantes.

Ex.: Ernest, crie Sophie, retiens ton chien!

1. Poilu, reste ici dit Ernest à son chien.

2. Tiens-toi tranquille et arrête de japper dit Ernest.

3. Wouaf, wouaf répond Poilu.

4. Les enfants c'est l'heure du souper dit la mère.

b) À quoi servent les virgules que tu as ajoutées?

_____

 5 Indique dans les cases la lettre correspondant au cas d'emploi de la virgule.

Cas d'emploi

A Pour séparer les éléments d'une énumération.

C Pour détacher les mots indiquant **qui** parle.

B Pour détacher une indication de temps ou de lieu en début de phrase.

D Pour détacher les mots indiquant **à qui** on parle.

Pas ici!

Ex.: Hier soir, ☐B☐ mes parents étaient excédés.

Au souper, ☐ mon frère s'est présenté avec son lecteur MP3 sur les oreilles.

Un peu plus tard, ☐ ma sœur est arrivée dans la cuisine en patins à roues alignées.

— Ricardo, ☐ va ranger immédiatement ton baladeur, ☐ a dit ma mère.

— Gracia, ☐ il est interdit de mettre des patins dans la maison, ☐ a dit mon père. Nous allons confisquer le baladeur, ☐ les patins et tout autre objet de ce genre. M'avez-vous bien compris, ☐ les enfants?

Le groupe du nom

Le nom

Le nom commun

A Le **nom commun** est un mot qui sert à désigner :

des êtres vivants : garçon, infirmière, lion,

des objets : sel, poire, livre,

des lieux : ville, lac, pays,

des actions, des activités : natation, saut, écriture,

des sentiments, des manières d'être : bonheur, peine, laideur,

et bien d'autres choses encore !

Bref, le nom désigne toutes sortes de « choses », des choses qu'on peut toucher et des choses qu'on ne peut pas toucher.

B Devant un nom commun, on peut mettre un déterminant, c'est-à-dire un mot comme : *le, la, l', les, un, une, du, des.*

C Dans une phrase, les noms communs sont souvent précédés d'un déterminant.

(L')astronomie est (la) science qui étudie (les) étoiles et (les autres) objets célestes.	Ici, les mots entourés sont des déterminants ; les mots en bleu sont des noms communs.

Le nom propre

D Quand on veut distinguer une réalité d'une autre, on lui donne un **nom propre**.

E On peut donner un **nom propre** à :

une personne ou un animal :   mon amie Josée Tremblay, mon chien Pirouette ;

un lieu :   le fleuve Saint-Laurent, la ville de Québec ;

un édifice :   l'école Soleil, l'aréna Maurice-Richard ;

une fête :   la fête des Pères, l'Halloween ;

un peuple, une population :   les Canadiens, les Montréalais.

F Un **nom propre** commence toujours par une **majuscule**.

Mon amie Lili vient de l'Abitibi.

Le nom commun

1   **a)** Qui suis-je ? Réponds aux devinettes à l'aide d'un nom.

Ex.: Mon métier est d'éteindre les feux.   p <u>o</u> <u>m</u> <u>p</u> <u>i</u> <u>e</u> <u>r</u>

1. Je suis l'unité de base du système
    métrique.   m <u>è</u> <u>t</u> <u>r</u> <u>e</u>

2. Avec ma sève, récoltée au printemps,
    on produit du sirop et de la tire.   é <u>r</u> <u>a</u> <u>b</u> <u>l</u> <u>e</u>

3. Je suis un sport traditionnel au
    Canada, qu'on pratique sur la glace.   h <u>o</u> <u>c</u> <u>k</u> <u>e</u> <u>y</u>

4. Je suis le contraire de « joie ».   t <u>r</u> <u>i</u> <u>s</u> <u>t</u> <u>e</u> <u>s</u> <u>s</u> <u>e</u>

5. Je suis un instrument qui permet
    aux astronomes de regarder les objets
    éloignés dans le ciel.   t <u>é</u> <u>l</u> <u>e</u> <u>s</u> <u>c</u> <u>o</u> <u>p</u> <u>e</u>

b) Pour vérifier si les mots que tu as écrits sont vraiment des noms,
récris-les ici, en les faisant précéder d'un des déterminants suivants :
un, une, le, la, du.

Ex.: un pompier. *un mètre, l'érable, le hockey, la tristesse,*
un télescope,

2   Souligne les noms du texte suivant. Il y en a 11.

VOIR
PAGE 73, A et B

Les <u>sciences</u> sont <u>passionnantes</u>. Il y en a beaucoup.
Voici quelques <u>exemples</u>. La <u>zoologie</u> étudie les animaux.
La <u>botanique</u> permet de scruter les <u>plantes</u>. La <u>biologie</u>
se penche sur tous les <u>êtres</u> vivants. La <u>chimie</u> explore
la <u>composition</u> de la <u>matière</u>.

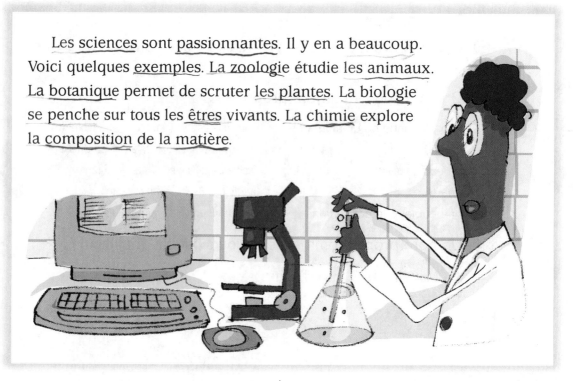

Le nom propre

>> **3** a) Souligne les noms communs et entoure les noms propres.

25   *4*

VOIR
PAGE 73, A-F

Les mots
ier » et « million »
ont des noms.

Un rocher célèbre

Savez-vous qu'il y a un rocher au Québec qui attire chaque année des milliers de touristes ? Il s'agit du rocher Percé, un bloc de cinq millions de tonnes, dans les eaux du golfe Saint-Laurent. Un trou de cinq mètres de hauteur perce cette énorme masse rocailleuse ; ce phénomène dû à l'érosion explique évidemment son nom. Lorsqu'il s'est aventuré dans les eaux du golfe, en 1534, l'explorateur Jacques Cartier a été stupéfait par cette merveille de la nature. Deux trous ornaient alors ce gigantesque roc.

Le rocher Percé, en Gaspésie, au Québec.

b) Observe les exemples donnés à la page 73, au point E.
Tu remarqueras que les noms propres sont souvent précédés
d'un nom commun. En général, le nom commun n'a pas
de majuscule (sauf s'il commence une phrase).

Corrige les erreurs dans les groupes du nom suivants.

Ex. : ma Chatte Sagouine

1. mon petit Frère samuel

2. l'École barthélémy-vimont

3. la rivière nastapoka

4. la fête de noël

5. la Rue tremblay

6. les gens de la ville de québec

Le déterminant

A Le **déterminant** sert à introduire un nom dans une phrase ;
il est donc toujours placé **avant** le nom.

dét. = détermin
adj. = adject
N = nom

       Les arbres ployaient sous **le** poids de **la** neige.
       dét. N   dét. N   dét. N

B Dans une phrase, il peut y avoir un adjectif entre le déterminant
et le nom.

       Ce majestueux paysage apaise les esprits.
       dét.   adj.   N

C Le déterminant est toujours du même genre et du même nombre
que le nom qu'il introduit.

masculin singulier	féminin singulier	masculin pluriel	féminin pluriel
ce manteau	**une** tuque	**des** foulards	**vos** bottes

Consulte régulièrement un tableau de déterminants, comme celui de la page suivante.
Tu apprendras vite à reconnaître cette classe de mots.

D **Attention !** Les mots *le*, *la*, *l'* et *les* peuvent être déterminants
ou pronoms. Tu trouveras des exemples à la page 29.

E Il ne faut pas confondre les déterminants « ses » et « ces ».

Ses : déterminant possessif	**Ces** : déterminant démonstratif
= à lui, à elle	= ceux-là, celles-là
L'érable perd **ses** feuilles à l'automne.	Il y a des colibris dans le jardin.
	Ces oiseaux sont fascinants.

Dans une phrase,
on peut enlever un adjectif
qui accompagne un nom :
la phrase est encore correcte.

Les beaux oiseaux me fascinent.
      adj.

Les oiseaux me fascinent.

Cependant, de façon générale,
on ne peut pas enlever le déterminant.
C'est là un moyen de reconnaître ce mot.

Les oiseaux me fascinent.
dét.

~~oiseaux me fascinent~~.

La phrase est incorrecte.

Retiens ce truc :
dans « pos**ses**sif », il y a
le mot « ses ».

Le déterminant

F Voici un tableau de déterminants.

	Masculin singulier	Féminin singulier	Masculin pluriel	Féminin pluriel
Déterminants articles	le chat, l'été l'hiver	la mer, l'étoile l'herbe	les épis	les rues
	un chien	une roche	des cailloux	des cages
Déterminants contractés	aller au théâtre	—	parler aux garçons	parler aux filles
	le tour du monde	—	le jeu des garçons	le jeu des filles
Déterminants possessifs	mon sac	ma* tâche	mes soucis	mes leçons
	ton jeu	ta peine	tes t-shirts	tes joues
	son stylo	sa joie	ses patins	ses lèvres
	notre sport	notre pensée	nos trésors	nos lunettes
	votre tour	votre robe	vos bras	vos idées
	leur rôle	leur valeur	leurs livres	leurs leçons
Déterminants démonstratifs	ce printemps cet été cet hiver	cette année	ces céleris	ces poires
Déterminants numéraux	un point	une note	**Invariables** trois enfants, quatre enfants, douze enfants, treize enfants, vingt-deux enfants, etc.	

* Devant un nom féminin qui commence par une voyelle ou un *h* muet, on conserve *mon, ton, son* : *mon amie, ton énergie, son habitude*.

	Singulier	Pluriel
D'autres déterminants	chaque élève un certain soir, une certaine personne quel prix, quelle chanson tout le pays, toute la classe un autre joueur, une autre joueuse le même livre, la même blague	certains soirs, certaines personnes quels prix, quelles chansons tous les pays, toutes les classes les autres joueurs, les autres joueuses les mêmes livres, les mêmes blagues plusieurs animaux quelques poires

Le déterminant

≫≫1 Complète les phrases en mettant le déterminant
démonstratif qui convient : *ce, cet, cette* ou *ces*.
Pour justifier ta réponse, écris le genre et
le nombre du nom qui suit, au-dessus de ce nom.

MS MS f.S
m.p ou f.p

Devant un nom
masculin qui commence
par une voyelle ou un *h*
muet, on utilise « cet » : *cet
enfant, cet hôpital.*

                                                        m. pl.
Ex. : J'ai entendu des astronomes. __Ces__ savants étudient

les astres.

1. Le Soleil est l'étoile la plus proche de la Terre. __Cette__ M.S astre est

   une énorme boule de gaz brûlants.

2. __Ces__ M.P gaz explosent et jaillissent parfois à la surface du Soleil.

   On appelle __ce__ M.S phénomène les « éruptions solaires ».

3. Contrairement au Soleil, la Lune n'émet pas de lumière. Si __ce__
   M.S
   corps céleste brille, c'est que sa surface est éclairée par le Soleil.

4. La planète Mars a l'aspect d'un désert brûlant à cause de la poussière

   rouge qui la recouvre. En fait, __cette__ f.S planète est glaciale.

5. Jupiter, Saturne, Uranus et Neptune font partie des « géantes gazeuses ».

   _____ planètes ont un noyau dur entouré de couches de gaz.

La surface de la planète Mars.

Le déterminant

2 En puisant dans la liste qui précède chaque paragraphe, ajoute les déterminants qui conviennent.

Attention ! Chaque déterminant ne peut être utilisé qu'une seule fois dans un paragraphe.

Le système solaire

cet, des, du, ~~l'~~, la, ~~le~~, les autres, leurs, nos, notre, sa, un

❶   Qu'est-ce que _____le_____ système solaire ? C'est

_____l'_____ ensemble _____ planètes qui tournent autour

_____ Soleil. _____ planète, _____ Terre,

fait partie de _____ ensemble. _____ planètes sont :

Mercure, Vénus, Mars, Jupiter, Saturne, Uranus et Neptune.

au,   ce,   des,   du,   l',   la,   ~~le~~,   les,   ses,   tous les,   toutes les,   une

❷   En 2006, _____le_____ congrès de _____ association

_____ astronomes a fait _____ manchette* de

_____ journaux. _____ scientifiques discutaient

énergiquement _____ mot « planète ». Ils ont fini par

s'entendre sur _____ définition de _____ mot.

au,   ce,   ~~cette~~,   des,   l',   les,   leurs,   plusieurs,   sa,   ~~son~~,   un,   une

❸   Avec _____cette_____ nouvelle définition, Pluton ne figurait plus

_____ rang _____ planètes. _____Son_____ orbite est

fortement inclinée. _____ masse est petite. _____

corps céleste est désormais considéré comme _____ planète

naine. Dans _____ espace, on trouve _____

milliards de corps célestes.

Devant un nom commence par une elle ou un *h* muet, n utilise *l'* au lieu de *le* ou *la*.

✱ **manchette :** titre en grosses lettres, en première page d'un journal.

L'adjectif

A L'**adjectif** est un mot qui permet de décrire ou de préciser le nom qu'il accompagne.

une **bonne** école	une école primaire
Le mot « bonne » permet de décrire l'école. Ce mot est un adjectif.	Le mot « primaire » précise de quelle sorte d'école on parle. Ce mot est un adjectif.

B Comme le montrent les exemples en A, l'adjectif peut être placé avant ou après le nom.

Parfois, avant l'adjectif, il y a un mot invariable comme « très » ou « trop ».

une rue très éloignée	une très grosse branche	un enfant trop bruyant
dét. N adj.	dét. adj. N	dét. N adj.

C L'adjectif prend toujours le genre (masculin ou féminin) et le nombre (singulier ou pluriel) du nom qu'il accompagne.

masculin singulier	féminin singulier	masculin pluriel	féminin pluriel
un ciel bleu	une jolie rue	des parcs ombragés	des routes sinueuses

En général, au féminin, l'adjectif prend un *e*.

En général, au pluriel, l'adjectif prend un *s*.

Remarque – L'adjectif n'accompagne pas toujours un nom. Dans les exemples suivants, l'adjectif suit le verbe *être*.

m. s.	m. pl.	m. pl.
Ce garçon est intelligent.	Ces élèves sont dynamiques.	Ils sont enjoués.

Les adjectifs qui suivent le verbe *être* s'accordent avec le nom ou le pronom qu'ils décrivent.

≫ 1 Souligne tous les noms, puis entoure les adjectifs.
Relie chaque adjectif au nom avec lequel il s'accorde.

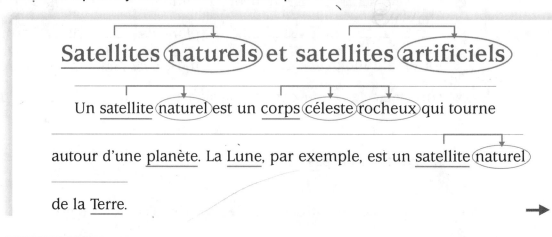

Satellites naturels et satellites artificiels

Un satellite naturel est un corps céleste rocheux qui tourne

autour d'une planète. La Lune, par exemple, est un satellite naturel

de la Terre.

J'ai souligné quelques noms et entouré quelques adjectifs. Il reste 22 noms et 13 adjectifs à trouver.

❶ Les humains envoient des satellites artificiels dans l'espace, par exemple des vaisseaux spatiaux.

❷ Une navette spatiale est un engin ✳ récupérable une fois sa mission terminée, elle revient dans l'atmosphère et se pose sur une piste d'atterrissage.

❸ Des astronautes expérimentés voyagent dans ces navettes.

❹ Une station spatiale est un satellite permanent qui tourne autour de la Terre. Le plus grand satellite de ce type est la Station spatiale internationale. Sa construction a débuté en 1998.

❺ En septembre 2006, la navette *Atlantis* s'est arrimée à cette station et y a installé deux nouveaux éléments d'assemblage. On estimait alors qu'il faudrait encore seize vols de navette pour terminer l'assemblage de cette immense station.

La Station spatiale internationale.

✳ **engin :** une machine, un appareil.

>> **2** Autour de chaque nom, écris des adjectifs qui pourraient servir
à décrire ou à préciser ce nom.

petit   *rectangulaire*

bleu   *coloré*

bon   *intéressant*

un livre

rouge   *vite*

grosse   *bleue*

jaune   *noire*

une voiture

petit   *ensoleillé*

bleu   *montagneux*

brun   *blanc*

un paysage

Nom : _____   Date : _____

Le genre et le nombre du nom

Le genre du nom

A En français, il y a deux **genres** : le **masculin** et le **féminin**.

Quand un nom est **masculin**, on peut mettre « le » ou « un » devant.

Quand un nom est **féminin**, on peut mettre « la » ou « une » devant.

un caillou : Le nom « caillou » est masculin.

un enseignant : Le nom « enseignant » est masculin.

la beauté : Le nom « beauté » est féminin.

B Si on hésite sur le **genre** du nom, on consulte le **dictionnaire**.

Les abréviations « m. » ou « masc. » veulent dire « masculin ».
Les abréviations « f. » ou « fém. » veulent dire « féminin ».

C Généralement, les noms qui désignent des personnes ou des animaux peuvent prendre les deux genres. On dit que leur genre varie :

un enseignant : masculin   une enseignante : féminin

un lapin : masculin   une lapine : féminin

Le nombre du nom

D Un nom peut être au **singulier** ou au **pluriel**.

Si on parle d'*un*... ou d'*une*..., le nom est au singulier.	Si on parle de *deux*... ou de *plusieurs*..., le nom est au pluriel.
une rue, sa bordure, le chemin	deux rues, ses bordures, les chemins
	En général, le nom au pluriel se termine par un *s*.

E **Quand on écrit**, le déterminant nous indique souvent si le nom qui suit est au singulier ou au pluriel. C'est le cas dans les exemples ci-dessus.

F Quand il n'y a pas de déterminant devant le nom, il faut s'appuyer sur le sens pour mettre le nom au singulier ou au pluriel.

Je me promène à vélo.	J'ai un panier de fraises.
Je me promène sur *un* seul vélo à la fois : le nom est au singulier.	Il y a *plusieurs* fraises dans le panier : le nom est au pluriel. Il se termine par un *s*.

La formation du féminin des noms

Les règles suivantes concernent les noms de personnes et d'animaux.

Règle générale	Exemples	
Pour mettre un nom masculin au féminin, on ajoute un *e* à ce nom.	un ami → une amie André → Andrée un patient → une patiente un Québécois → une Québécoise un voisin → une voisine	**Attention !** À l'oral, on n'entend pas toujours le *e* du féminin, mais à l'écrit, il ne faut pas l'oublier.

Cas particuliers	Exemples	Exceptions ou remarques
On ne fait aucun changement aux noms qui se terminent déjà par *e*.	un adulte → une adulte un élève → une élève	Exceptions : un prince → une princesse un tigre → une tigresse
On change le nom en partie ou complètement.	un cheval → une jument un coq → une poule un garçon → une fille un homme → une femme un père → une mère	
On change parfois les lettres finales avant d'ajouter le *e* du féminin. Voici quelques cas : • el → elle • en → enne • on → onne • er → ère • eux ↘ • eur ↗ euse • teur ↗ trice ↘ teuse • oux → ouse • f → ve	ce criminel → cette criminelle ton chien → ta chienne mon patron → ma patronne le passager → la passagère le pompier → la pompière ce religieux → cette religieuse un vendeur → une vendeuse le directeur → la directrice le chanteur → la chanteuse son époux → son épouse ce sportif → cette sportive	Exceptions : mon compagnon → ma compagne un dindon → une dinde Quelques noms en *eur* font *eure*, par exemple : un ingénieur → une ingénieure un professeur → une professeure Quelques noms en *teur* font *teure*, par exemple : un docteur → une docteure Exception : un chef → une chef

La formation du pluriel des noms

Règle générale	Exemples		Exceptions
Pour mettre un nom singulier au pluriel, on ajoute un *s* à ce nom.	un clou	➝ des clou**s**	bijou, caillou, chou, genou, hibou, joujou, pou ➝ bijou**x**, caillou**x**, chou**x**, genou**x**, hibou**x**, joujou**x**, pou**x**
	une dent	➝ des dent**s**	
	un chocolat	➝ des chocolat**s**	
	une fille	➝ des fille**s**	
	un numéro	➝ des numéro**s**	
	une pensée	➝ des pensée**s**	
	un chandail	➝ des chandail**s**	un travail ➝ des trav**aux**

Cas particuliers	Exemples		Exceptions	
On ne fait aucun changement aux noms qui se terminent par *s*, *x* ou *z*.	un gar**s**	➝ des gar**s**		
	une voi**x**	➝ des voi**x**		
	un ne**z**	➝ des ne**z**		
On change le nom en partie ou complètement.	madame	➝ mesdames		
	monsieur	➝ messieurs		
	un ciel	➝ des cieux		
	un œil	➝ des yeux		
On ajoute un *x* aux noms qui se terminent par **eu**, **au**, **eau**.	un j**eu**	➝ des j**eux**	un bleu	➝ des bleus (après une chute)
	un noy**au**	➝ des noy**aux**		
	un chap**eau**	➝ des chap**eaux**	un pneu	➝ des pneus
On change *al* en *aux*.	un anim**al**	➝ des anim**aux**	un carnaval	➝ des carnaval**s**
	un chev**al**	➝ des chev**aux**	un festival	➝ des festival**s**
	un journ**al**	➝ des journ**aux**	un récital	➝ des récital**s**

Le genre et le nombre du nom

1 Imagine que tu es journaliste à la radio. Tu dois décrire un accident qui vient de survenir. Comme journaliste, tu dois t'exprimer correctement. Diras-tu *un* ou *une* pour introduire certains noms ?

Complète le texte en écrivant *un* ou *une*. (À un seul endroit, tu dois choisir entre *cet* ou *cette*.)

> Vérifie le genre des noms dans un dictionnaire.

Ex.: _Un_ **événement rare**

❶ Au coin de la 4ᵉ Avenue et de la 12ᵉ Rue, à 15 h 30,

_un_ accident étrange est survenu. _Une_ auto a heurté

_un_ orignal, qui déambulait en pleine rue !

❷ _un_ atmosphère survoltée régnait à (*cet*, *cette*) _une_

intersection. _un_ autobus qui passait par là a heureusement

pu freiner à temps. _Une_ ambulance est arrivée sur les lieux

par mesure de précaution.

❸ De loin, des enfants qui sortaient d'_une_ école ont pu voir

l'énorme bête. C'était pour eux _une_ aventure excitante. Des

agents de la faune ont été dépêchés sur les lieux pour s'occuper

du pauvre animal.

❹ Nous vous donnerons d'autres informations dans

une heure.

La formation du féminin des noms

>> **2** **a)** Mets les noms au féminin. Consulte le tableau de la page 84 ou un dictionnaire.

	Masculin		Féminin
1.	un marchand	une	marchande
2.	un commerçant	une	commerçante
3.	un pâtissier	une	pâtissière
4.	le musicien	la	musicienne
5.	un ours	une	ourse
6.	un enfant	une	enfant
7.	ce pharmacien	cette	pharmacienne
8.	un ingénieur	une	ingénieuse
9.	un docteur	une	docteure
10.	le gardien	la	gardienne
11.	un malchanceux	une	malchanceuse
12.	un écolier	une	écolière
13.	ce Canadien	cette	Canadienne
14.	le spectateur	la	spectatrice
15.	un nageur	une	nageuse
16.	un veuf	une	veuve
17.	un acteur	une	actrice
18.	un directeur	une	directrice
19.	un élève	une	élève
20.	un Gaspésien	une	Gaspésienne

b) Surligne en jaune les noms qui suivent la règle générale de formation du féminin, c'est-à-dire l'ajout d'un **e**.

c) Souligne en bleu les noms qui ont la même forme au masculin et au féminin.

La formation du féminin des noms

3 **a)** Souligne tous les noms du texte suivant.

VOIR
PAGE 84

Petit-Lulu

Le cheval s'appelait Petit-Lulu. Il avait plusieurs amis : des coqs, des lapins et même un âne. Il rêvait d'être le premier astronaute à crinière. Il écrivit donc une lettre à son premier ministre et au président universel. Peu après, l'adjoint du ministre et le secrétaire du président lui ont répondu : « C'est trop tard : nous avons déjà envoyé un lion dans l'espace. »

Alors, se dit Petit-Lulu, je ferai le jardinier, chez mes amis les jumeaux.

b) Récris le texte en mettant au féminin les noms de personnes et d'animaux. Évidemment, tu devras aussi mettre leurs déterminants et leurs adjectifs au féminin, de même que les pronoms qui les remplacent, s'il y a lieu.

Petite-Lulu

La jument s'appelait Petite-Lulu. Elle avait plusieurs amies : des poules, lapines et même une ânesse. Elle rêvait d'être la première astronaute à crinière. Elle écrivait donc une lettre à sa première ministre et à la présidente universelle. Peu après l'adjointe de la ministre et la secrétaire de la présidente lui ont répondu : « C'est trop tard : nous avons déjà envoyé une lionne dans l'espace = Alors se dit Petite-Lulu je ferais la jardinière chez mes amies les jumelles.

La formation du pluriel des noms

4 a) Mets les noms au pluriel. Consulte le tableau de la page 85 ou un dictionnaire.

Singulier		Pluriel
1. un caribou	des	caribous
2. mon manteau	mes	manteaux
3. un bleu	des	bleus
4. le pli	les	plis
5. un chou	des	choux
6. ma sœur	mes	sœurs
7. un as	des	as
8. un neveu	des	neveux
9. un abri	des	abris
10. un ours	des	ours
11. une soirée	des	soirées
12. un genou	des	genoux
13. un gaz	des	gaz
14. un souriceau	des	souriceaux
15. un journal	des	journaux
16. un cri	des	cris
17. un cheval	des	chevaux
18. ce détail	ces	détails
19. une eau	des	eaux
20. un festival	des	festivals

b) Surligne en jaune les noms qui suivent la règle générale de formation du pluriel, c'est-à-dire l'ajout d'un *s*.

c) Souligne en bleu les noms qui ont la même forme au singulier et au pluriel.

La formation du féminin des adjectifs

Règle générale	Exemples	
Pour mettre un adjectif masculin au féminin, on ajoute un *e* à cet adjectif.	bleu → bleue charmant → charmante exténué → exténuée gris → grise	**Attention !** À l'oral, on n'entend pas toujours le *e* du féminin, mais à l'écrit, il ne faut pas l'oublier.

Cas particuliers	Exemples	
On ne fait aucun changement aux adjectifs qui se terminent déjà par *e*.	deuxième → deuxième jaune → jaune paisible → paisible	
On change parfois les lettres finales de l'adjectif avant d'ajouter le *e* du féminin. Voici quelques cas :		
• el → elle • en → enne • on → onne	naturel → naturelle moyen → moyenne mignon → mignonne	
• er → ère	léger → légère droitier → droitière	
• eux → euse • eur → euse	heureux → heureuse moqueur → moqueuse	Quelques adjectifs en *eur* font *eure*, comme : inférieur → inférieure supérieur → supérieure
• teur → trice / teuse	créateur → créatrice menteur → menteuse	
• oux → ouse / ousse / ouce	jaloux → jalouse roux → rousse doux → douce	
• f → ve	inventif → inventive	
Il y a d'autres formes particulières.	beau → belle blanc → blanche favori → favorite franc → franche long → longue mou → molle nouveau → nouvelle vieux → vieille	

La formation du pluriel des adjectifs

Règle générale	Exemples			
Pour mettre un adjectif singulier au pluriel, on ajoute un *s* à cet adjectif.	distrait → distraits	fou → fous		
	distraite → distraites	mou → mous		
	bleu → bleus	nouvelle → nouvelles		

Cas particuliers	Exemples
On ne fait aucun changement aux adjectifs qui se terminent par *s* ou *x*.	épais → épais peureux → peureux
On ajoute un *x* aux adjectifs qui se terminent par *eau*.	beau → beaux nouveau → nouveaux
On change *al* en *aux*.	normal → normaux original → originaux Mais : banal → banals Avec *final* et *glacial*, on a le choix : final → finals ou finaux glacial → glacials ou glaciaux

》》1 Écris le féminin de l'adjectif qui est donné entre parenthèses.

1. (*peureux*)   une biche _____

2. (*enchanté*)   une spectatrice _____

3. (*étranger*)   une ville _____

4. (*semblable*)   une histoire _____

5. (*dernier*)   une _____ fois

6. (*savoureux*)   une friandise _____

7. (*meilleur*)   une _____ saveur

8. (*mignon*)   une _____ souris

9. (*trompeur*)   une promesse _____

10. (*routier*)   la circulation _____

La formation du pluriel des adjectifs

>> **2** Mets les adjectifs au pluriel.

VOIR
PAGE 91

Ex.: (*sévère*)   des parents _____ *sévères* _____

1. (*immobile*)   des enfants _____

2. (*mystérieux*) des personnages _____

3. (*mou*)   des caramels _____

4. (*bleu*)   des gants _____

5. (*sincère*)   des vœux _____

6. (*jaloux*)   des amis _____

7. (*terminé*)   des devoirs _____

8. (*spatial*)   des vaisseaux _____

9. (*nouveau*)   des _____ amis

10. (*jumeau*)   des frères _____

>> **3** Complète le tableau suivant.

VOIR
PAGES 90, 91

	Adjectifs au masculin singulier	Adjectifs au féminin singulier	Adjectifs au masculin pluriel	Adjectifs au féminin pluriel
Ex.:	méchant	méchante	méchants	méchantes
1.				longues
2.	amical			
3.	fou			
4.		loyale		
5.			ambitieux	
6.	moyen			
7.				entières
8.	chaud			
9.		curieuse		
10.	affreux			

Le groupe du nom

A Un **nom**, seul ou avec d'autres mots, forme un **groupe du nom**.

GN   GN

Maria aime les sports.

N   dét.   N

Les lettres « GN »
veulent dire
« groupe du nom ».

B Le **nom** est le **noyau** du groupe du nom : cela veut dire que c'est le mot le plus important du groupe.

C Un **groupe du nom** peut être construit de différentes façons. Par exemple, il peut comprendre :

- un nom seul :

  Exemple 1

  GN   GN

  Carmen deviendra écrivaine.

  N   N

- un déterminant et un nom :

  Exemple 2

  GN

  Elle aime écrire des histoires.

  dét.   N

- un déterminant, un adjectif et un nom :

  Exemple 3

  GN

  Elle a emprunté des nouveaux livres.

  dét. adj.   N

- un déterminant, un nom et un adjectif :

  Exemple 4

  GN

  Les personnages intrépides l'inspirent.

  dét.   N   adj.

Remarque – Il peut y avoir plus d'un adjectif dans un GN.

Elle a emprunté des livres nouveaux et passionnants.

Les personnages intrépides et courageux l'inspirent.

D Un groupe du nom peut occuper diverses fonctions. Par exemple, dans l'exemple 4 ci-dessus, il occupe la fonction sujet. Dans les exemples 2 et 3, le groupe du nom a comme fonction de compléter le verbe.

Le groupe du nom

VOIR
PAGE 93, C

>> **1** Dans les phrases ci-dessous, les groupes du nom (GN) sont en caractères gras.

Indique leur construction au-dessus de chacun, à l'aide du code suivant :

1 = N   **2** = dét. + N   **3** = dét. + adj. + N   **4** = dét. + N + adj.

Ex. : Lucille Teasdale, une femme exceptionnelle

1. À **quatorze ans**, **Lucille** rêvait déjà

   de devenir **médecin**.

2. En 1955, elle devient

   la première chirurgienne **au Québec**.

3. Elle commence à travailler auprès

   des enfants, dans **un hôpital montréalais**.

4. C'est là qu'elle rencontre **son futur mari**.

Lucille Teasdale et son mari.

5. Celui-ci l'invite en **Afrique**, pour l'aider à mettre sur pied **un hôpital**.

6. **Une guerre civile** dévaste **l'Ouganda**, **le pays** où **Lucille** s'est installée

   avec **son mari**.

7. **La courageuse docteure** est contaminée

   par **un virus mortel** en soignant **un soldat blessé**.

8. Malgré **sa maladie**, elle continue à opérer et à enseigner. Elle parcourt

   aussi **le monde entier** pour ramasser de **l'argent** pour **son hôpital**.

9. Tout en soignant **les malades**, elle forme **des médecins africains**.

10. Elle a reçu **plusieurs prix prestigieux** pour **son œuvre colossale**.

    Elle est morte en 1996.

Nom : _____   Date : _____

Le groupe du nom

2 a) Souligne les groupes du nom. Ne tiens pas compte des noms propres.

VOIR
PAGE 93, C

Les mots *à*, *avec*, *dans*, *en*, *pour* ne sont pas des déterminants. Ce sont des prépositions, des mots invariables.

David Suzuki

1 David Suzuki est un scientifique connu dans le monde entier. C'est aussi un écrivain passionnant.

2 Il anime, avec rigueur, des émissions célèbres à la radio et à la télévision.

3 Il est né en 1936 en Colombie-Britannique, une province canadienne.

4 Quand David était enfant, son père l'amenait à la pêche avec lui.

5 Le jeune garçon collectionnait les insectes. Ce passe-temps a développé chez lui un vif intérêt pour la science.

6 David Suzuki est devenu une personnalité réputée grâce à ses articles éducatifs et à ses émissions captivantes. Il a travaillé avec acharnement pour protéger notre environnement.

7 Il aime développer le goût des sciences auprès des jeunes élèves.

David Suzuki.

b) Parmi les groupes du nom que tu as soulignés, trouve un exemple pour chacune des constructions suivantes et écris-le dans le tableau.

N	Dét. + N
Ex.: rigueur (n° 2), enfant (n° 4)	la radio (n° 2)
acharnement	*la télévision*

Dét. + adj. + N	Dét. + N + adj.
un vif intérêt (n° 5)	un scientifique connu (n° 1)
des jeunes élèves	*une province canadienne*

Les accords dans le groupe du nom

A Dans un groupe du nom, **le déterminant et l'adjectif ont le même genre et le même nombre que le nom.**

m. = masculin
f. = féminin
s. = singulier
pl. = pluriel

m. s.
un cinéma accueillant

m. pl.
des films étranges

f. s.
une amie passionnée

f. pl.
plusieurs histoires captivantes

B Voici une procédure pour vérifier tes **accords dans un groupe du nom.**

Démarche	Exemple
1. Repère le nom, mets un point au-dessus.	**f. pl.** des personnes émues
2. Inscris le genre (masculin ou féminin) et le nombre (singulier ou pluriel) du nom.	**Le genre :** *un...* = masculin ; *une...* = féminin. Si tu hésites, consulte un dictionnaire. **Le nombre :** demande-toi s'il y a *plus d'un...* ou *plus d'une...* Si oui, le nom est au pluriel. **Des déterminants, comme *les*, *des*, *plusieurs*,** indiquent que le nom doit être écrit au pluriel.
3. Vérifie si le nom est bien écrit. Par exemple, si le nom est au pluriel, vérifie s'il porte la marque du pluriel : en général, la lettre *s*.	**f. pl.** des personnes émues
4. Relie le nom par une flèche au déterminant et à l'adjectif, s'il y en a un.	**f. pl.** des personnes émues
5. Vérifie si le déterminant et l'adjectif sont du même genre et du même nombre que le nom. Corrige-les, s'il y a lieu.	**f. pl.** des personnes émues
Attention ! Il peut y avoir plus d'un adjectif qui se rapporte au même nom.	**f. pl.** des personnes émues et ébranlées

Les accords dans le groupe du nom

≫1 Forme des groupes du nom en reliant chaque nom de la colonne
de gauche à l'adjectif qui lui convient le mieux.

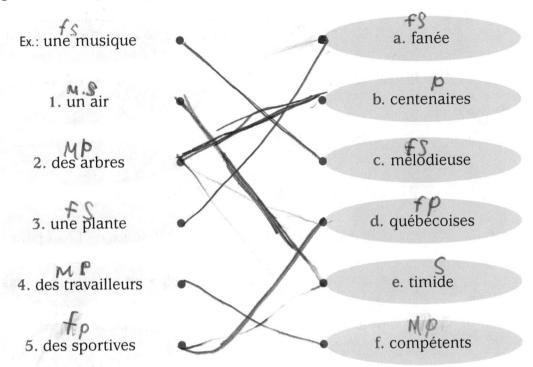

fs
Ex. : une musique

M.S
1. un air

MP
2. des arbres

FS
3. une plante

M P
4. des travailleurs

Fp
5. des sportives

FS
a. fanée

p
b. centenaires

fs
c. mélodieuse

fp
d. québécoises

S
e. timide

Mp
f. compétents

≫2 Parmi les groupes du nom proposés, souligne celui qui est écrit
correctement et biffe les autres.

VOIR
PAGE 96, A

Vannier : un métier ancien

Ex. :   Le vannier est un artisan qui tisse (~~un végétal~~ –
<u>des végétaux</u> – ~~des végétal~~) pour en faire des objets
de (<u>toutes les sortes</u> – ~~toute les sortes~~).

❶   Avec de la paille, il peut tresser (des panier légers et pratique –
des paniers légers et pratiques – des paniers léger et pratique), de
(toute les grandeur – toutes les grandeur – toutes les grandeurs).

❷   (Certain panier – Certain paniers – Certains paniers) sont
destinés à recueillir le linge ou à entreposer le pain.

❸   Il y a aussi des paniers qui servent de récipients pour (les fruits
fraîchement cueilli – les fruits fraîchement cueillis – les fruits
fraîchement cueillies).

Le mot
« fraîchement »
est un adverbe ;
c'est un mot
invariable.

Les accords dans le groupe du nom

3 Dans les deux textes ci-dessous, les groupes du nom en caractères gras comportent des erreurs.

VOIR PAGE 96, B

- Vérifie d'abord si le nom est correctement écrit. Par exemple, s'il doit être au pluriel, vérifie s'il porte bien la marque du pluriel, en général un *s*.
- Corrige ensuite le déterminant et l'adjectif, s'il y a lieu.

Le rémouleur : un artisan ambulant

Ex.: m. pl. x *f p s*

Pour aiguiser **les couteau** et **les lame** le rémouleur a besoin

d'une pierre, appelée « meule ». Il lui faut aussi de l'eau pour lubrifier

la pierre. Enfin, il lui faut **des doigt expérimenté** pour ne pas se couper

sur **les objets tranchant.** Dans l'ancien temps, **les rémouleurs**

marchaient de village en village en criant : « J'aiguise **vos objet** en fer ! »

Aujourd'hui, les rémouleurs circulent dans **des camionnette équipé**

du matériel nécessaire ; ils klaxonnent pour annoncer leur présence.

Berger et bergère : beau temps, mauvais temps

Autrefois, ce sont **les enfant** qui gardaient les moutons.

Ces jeune bergers amenaient **les troupeau** brouter

l'herbe vert en montagne. Parfois, le pacage était si loin

que **les petit gardien** dormaient à **la bel étoile**. Les bergers devaient

aussi empêcher **les animaux prédateur** d'attaquer **leur bêtes**.

Les accords dans le groupe du nom

4 Écris les groupes du nom que ton enseignante ou ton enseignant te dicte. Vérifie ensuite l'accord des mots en procédant comme dans l'exemple.

VOIR
PAGE 96 A et B
PAGE 76, E

Le grand duc d'Amérique.

Ex. :

m. s.

Le grand duc d'Amérique fréquente

m. pl.

des habitats variés .

1. Le grand duc d'Amérique a _____ :
   il mesure environ soixante centimètres de longueur.

   C'est _____ .

2. _____

   et _____ permettent de le différencier
   d'autres hiboux.

3. On le reconnaît aussi par _____ .

4. Dans nos régions, son plumage prend _____

   et porte _____ .

5. _____ et _____

   effraient souvent _____ .

Les accords dans le groupe du nom

»5 Un défi à relever en équipe :

a) Chaque équipe dresse une liste de six noms : deux noms d'animaux, deux noms de personnes et deux noms de choses. Les noms sont accompagnés d'un déterminant et peuvent être au singulier ou au pluriel.

b) Chaque équipe échange sa liste contre celle d'une autre équipe.

Les équipes ont 10 minutes pour ajouter le plus d'adjectifs possible à la liste qu'elles ont reçue et pour les accorder.

Faites preuve d'originalité !

> des lapins ➞ effarouchés, peureux, timides, gris, imprudents, adorables

c) Les équipes échangent de nouveau les listes. Cette fois, il faut vérifier les adjectifs qui ont été ajoutés par l'autre équipe, vérifier les accords et corriger les erreurs. **Attention !** Il faut justifier les corrections en écrivant le genre et le nombre du nom.

L'équipe gagnante est celle qui a écrit le plus d'adjectifs, sans fautes.

»6 **a)** Dans un texte de cinq ou six phrases, décris ce que tu vois sur le chemin de ta maison à l'école.

Utilise une feuille mobile.

b) Souligne les groupes du nom de ton texte.

c) Ajoute des adjectifs aux groupes du nom qui n'en ont pas, lorsque c'est possible.

d) Vérifie les accords en suivant la démarche de la page 96.

Le verbe

Le verbe

A Un **verbe** est un mot qui se **conjugue** ; cela veut dire qu'il change de forme selon la **personne** et selon le **temps** auxquels il est employé.

j'aime, tu aimes, il aime, nous aimons, vous aimez, ils aiment

je riais, tu riais, elle riait, nous riions, vous riiez, elles riaient

B Le verbe est le seul mot qui se conjugue.

Le verbe conjugué

C On peut recourir à <u>un</u> des trois moyens suivants pour vérifier si, <u>dans une phrase</u>, un mot est un **verbe conjugué** :

- on peut employer ce mot à une autre personne dans la même phrase ;

  Il aime les bleuets.

  On peut dire : Nous aimons les bleuets.

  Donc, « aime » est un verbe conjugué.

- on peut employer ce mot à un autre temps dans la même phrase ;

  Il aimait les bleuets.

- on peut mettre ce mot entre *ne* et *pas* dans la même phrase.

  Il n'aime pas les bleuets.

  Devant une voyelle ou un *h* muet, on utilise *n'*.

  Lorsque le verbe est conjugué à un temps composé, c'est l'auxiliaire qu'il faut mettre entre *ne* et *pas*.

  Il n'a pas aimé les bleuets.

D Il y a des verbes et des noms qui se ressemblent beaucoup.

Le mot « place », par exemple, est parfois un verbe conjugué, parfois un nom. Dans une phrase, comment le savoir ?

Amir **place** ses pions sur le jeu.	J'ai trouvé une **place** pour m'asseoir.
On peut conjuguer le mot à un autre temps :	On ne peut pas dire :
Amir **placera** ses pions sur le jeu.	J'ai trouvé une ~~placera~~ pour m'asseoir.
Donc, ici, le mot « place » est un verbe.	Donc, ici, le mot « place » n'est pas un verbe. Il s'agit d'un nom. (Il est précédé d'un déterminant.)

Le verbe

Le verbe à l'infinitif

E L'**infinitif**, c'est la forme du verbe lorsqu'il n'est pas conjugué.
C'est sous cette forme qu'on trouve un verbe dans un dictionnaire.

> Je ris, tu ris, il rit = verbe rire
> ↓
> INFINITIF

F Voici un truc pour **trouver l'infinitif** d'un verbe conjugué : dans ta tête,
modifie ce verbe en disant « Il faut… ».

> Sandra a choisi un roman. Quel est l'infinitif de « a choisi » ?
> Il faut… choisir. « Choisir » est l'infinitif.

G Les verbes employés à l'**infinitif** se terminent par *er*, *ir*, *oir* ou *re*.
Jamais par *é* !

> aimer   finir   voir   prendre

H Quand écrit-on un verbe à l'infinitif dans une phrase ?

* Après un autre verbe (sauf *avoir* ou *être*).

Sandra **espère** lire ce livre cette semaine.
Elle **aimerait** rédiger un résumé.

* Après une préposition, c'est-à-dire un mot invariable comme *à*, *de*, *par*, *pour*, *sans*.

Son petit frère apprend **à** marcher.
Il essaie **de** courir.

 1 Écris l'infinitif des verbes soulignés.

> Tu hésites ?
> Modifie le verbe en
> disant « Il faut… ».

Phrases avec verbes conjugués	Verbes à l'infinitif
Ex. : Tu <u>veux</u> apprendre.	vouloir
1. Il <u>va</u> au gymnase.	
2. <u>Vois</u>-tu l'édifice là-bas ?	
3. Elles <u>vont</u> à la piscine.	
4. Elle <u>appréciait</u> ce cours.	
5. On <u>a vendu</u> nos meubles.	
6. J'<u>aperçois</u> de gros nuages au loin.	
7. Elle <u>voudrait</u> bien gagner la course.	
8. Tu <u>as choisi</u> de partir tôt.	

Le verbe

2 **a)** Souligne les verbes conjugués et entoure les verbes
à l'infinitif.

VOIR
PAGES 101, C
et 102, E et F

b) Pour prouver qu'un mot est bien un verbe conjugué,
récris chaque phrase en modifiant le temps de ce verbe.

Il y a cinq verbes conjugués et quatre verbes à l'infinitif à trouver.

Un véritable funambule

Ex.: Les ramoneurs <u>portaient</u> un chapeau haut de forme pour (suivre)
la tradition.

<u>Les ramoneurs portent un chapeau haut de forme pour suivre</u>
<u>la tradition.</u>

1. À cette époque, on chauffait les maisons avec du bois.

   _____

2. On faisait nettoyer souvent les cheminées pour éviter les incendies.

   _____

   _____

3. Pour cela, on faisait appel au ramoneur.

   _____

Relis tes phrases pour t'assurer qu'elles ont du sens.

4. Le ramoneur grimpait sur la toiture avec ses longues brosses.

   _____

   _____

5. Il devait gratter l'intérieur de la cheminée sans tomber.

   _____

3 Dans chaque couple de phrases, les mots soulignés se prononcent de la même façon. Un de ces mots est un nom, l'autre est un verbe conjugué.

a) Écris N sous le nom et V sous le verbe conjugué.

b) Justifie tes réponses en procédant comme dans l'exemple : si, dans la phrase, le mot peut se conjuguer à un autre temps, il s'agit d'un verbe. Sinon, le mot est un nom.

Ex. : L'hippopotame adore la ~~soupait~~ soupe aux lentilles.
N

~~soupait~~
Il soupe tous les soirs à la même heure.
V

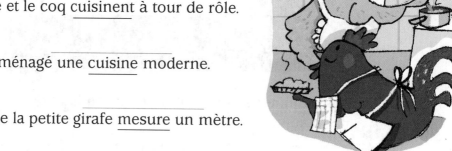

1. La poule et le coq cuisinent à tour de rôle.

   Ils ont aménagé une cuisine moderne.

2. Le cou de la petite girafe mesure un mètre.

   Sa mère prend les mesures de ses pattes et de son cou régulièrement.

3. Tous les matins, le bébé orignal joue dans la cour de l'école.

   Le soir, il court avec sa mère dans le parc municipal.

 4 **a)** Rédige deux phrases avec le mot « marche » : dans l'une, emploie ce mot comme nom ; dans l'autre, emploie-le comme verbe.

b) Écris N sous le mot « marche » employé comme nom et entoure le déterminant qui le précède.

c) Écris V sous le mot « marche » employé comme verbe. Relie le sujet au verbe au moyen d'une flèche.

• _____

_____

• _____

_____

L'accord du verbe

A **Le verbe s'accorde avec le sujet** : il prend la personne (1re, 2e ou 3e) et le nombre (singulier ou pluriel) du sujet.

2e pers. s.

Tu **rigoles** de bon cœur.

3e pers. s.

Étienne **fait** le bouffon.

2e pers. pl.

Vous **semblez** de joyeux lurons.

B Pour trouver le **sujet**, pose la question « Qui est-ce qui… ? » devant le verbe conjugué. (Pour les choses, on utilise « Qu'est-ce qui… ?)

Réponds en utilisant « C'est… qui ». La réponse donne le sujet.

- Exemple 1

   Vincent rit comme son père. *Qui est-ce qui* rit comme son père ?
   C'est Vincent *qui* rit comme son père. « Vincent » est le sujet.
   C'est un **groupe du nom**.

- Exemple 2

   Nous avons ri à en pleurer. *Qui est-ce qui* a ri à en pleurer ?
   C'est nous *qui* avons ri à en pleurer. « Nous » est le sujet.
   C'est un **pronom**.

   « Sujet » et « groupe sujet », c'est la même chose.

C **Quand le sujet est un groupe du nom (GN),**

le verbe se met à la troisième personne

- du singulier si le GN est au singulier ;
   Élise nage avec ardeur.

- du pluriel si le GN est au pluriel.
   Christian et Luc patinent rapidement.

Un GN sujet est toujours de la 3e personne puisqu'on peut le remplacer par un pronom de la 3e personne : *il*, *ils*, *elle* ou *elles*.

   Élise nage avec ardeur. On peut dire : Elle nage avec ardeur.

   Christian et Luc patinent rapidement. On peut dire : Ils patinent rapidement.

L'accord du verbe

D **Quand le sujet est un pronom**, le verbe se met à la même personne et au même nombre que ce pronom.

1ʳᵉ pers. s.   3ᵉ pers. pl.

Je cours dans le parc. Ils courent avec moi.

Voici des pronoms fréquemment utilisés.

	Des pronoms au singulier	Des pronoms au pluriel
1ʳᵉ personne	je (j')	nous
2ᵉ personne	tu	vous
3ᵉ personne	il, elle, on, ça, cela	ils, elles

> Les pronoms *je, tu, on, il* ou *ils* sont toujours sujets.

E **Attention à une difficulté !** Devant le verbe conjugué, il y a parfois un pronom qui n'est pas sujet. Observe les exemples suivants.

Ces jeux vidéo ? Je **les** recommande.

Ici, le mot « les » est un pronom, car il remplace « ces jeux vidéo ». Sa fonction est de compléter le verbe. En effet, la phrase veut dire :

Je recommande « ces jeux vidéo ».

Le sujet est le pronom « Je ».

Les élèves **nous** prêteront leurs jeux.

Le pronom « nous » complète le verbe. En effet, la phrase veut dire :

Les élèves prêteront leurs jeux « à nous ».

Le sujet est le groupe du nom « Les élèves ».

Ce sont les élèves **qui** nous prêteront leurs jeux.

□ = GS
▨ = GV

L'accord du verbe

F Voici une démarche que tu peux suivre pour **vérifier l'accord des verbes conjugués**, au cours de la révision de tes textes.

Une démarche pour vérifier l'accord du verbe	
1. Écris **V** sous le verbe conjugué. Pour repérer le verbe conjugué, voir page 101, C.	Exemple 1 Cet été, mes parents partiront en voyage. <div align="center">V</div> Exemple 2 J'irai peut-être avec eux. <div align="center">V</div>
2. Repère le sujet (par exemple, à l'aide de la question « Qui est-ce qui… ? » devant le verbe) et désigne-le à l'aide de crochets [ ].	Exemple 1 Cet été, [mes parents] partiront en voyage. <div align="center">V</div> Exemple 2 [J']irai peut-être avec eux. <div align="center">V</div>
3. Si le sujet est un groupe du nom, mets un point au-dessus du nom. Ce mot est le noyau du groupe du nom. C'est lui qui commande l'accord du verbe.	Exemple 1 Cet été, [mes parents] partiront en voyage. <div align="center">V</div>
4. Indique la personne et le nombre du sujet (1re, 2e ou 3e, singulier ou pluriel), puis trace une flèche de ce sujet au verbe. Si le sujet est formé de deux groupes du nom unis par « et », le verbe est nécessairement à la 3e personne du pluriel. (Exemple 1.1)	Exemple 1 **3e pers. pl.** Cet été, [mes parents] partiront en voyage. Exemple 1.1 **3e pers. pl.** [Kim et mon frère] resteront ici. <div align="center">V</div> Exemple 2 **1re pers. s.** [J']irai peut-être avec eux. <div align="center">V</div>
5. Vérifie si le verbe a la terminaison qui convient: selon le temps employé et selon la personne et le nombre du sujet. Apporte les corrections nécessaires, s'il y a lieu.	Exemple 1 **3e pers. pl.** Cet été, [mes parents] partiront en voyage. <div align="center">V</div> Exemple 2 **1re pers. s.** [J']irai peut-être avec eux. <div align="center">V</div>

ns les exemples 1, le sujet est n groupe du nom.

ns les exemples 2, le sujet est un pronom.

L'accord du verbe

G Utilise ce tableau pour retenir les lettres finales des verbes conjugués.

Les lettres finales des verbes, selon la personne		
Le sujet est à la...	**Quel que soit le temps, le verbe se termine presque toujours par...**	**Principales exceptions ou cas particuliers**
1re pers. du singulier Le sujet est *je*.	s j'avai**s**, j'aimerai**s**, je fini**s** e je jou**e** ai j'**ai**, je jouer**ai**, j'ir**ai**	x pour *pouvoir* et *vouloir*, à l'indicatif présent : je peu**x**, je veu**x**
2e pers. du singulier Le sujet est *tu*.	s tu a**s**, tu aimai**s**, tu finira**s**, tu achète**s**	x pour *pouvoir* et *vouloir*, à l'indicatif présent : tu peu**x**, tu veu**x** À l'impératif présent : e pour les verbes en *-er* et pour le verbe *avoir* : March**e**. Ai**e** l'air content.
3e pers. du singulier Le sujet est *il*, *elle*, *on*, *cela* ou un GN au singulier.	e il jou**e**, Marco chant**e** t il par**t**, il aimai**t**, Kim finirai**t** a elle v**a**, il jouer**a**, Luc finir**a**	d pour des verbes en *-dre*, à l'indicatif présent : il ven**d**, il appren**d**, elle pren**d**
1re pers. du pluriel Le sujet est *nous*.	ons nous av**ons**, nous aimer**ons**, nous partiri**ons**	À l'indicatif présent : nous **sommes**
2e pers. du pluriel Le sujet est *vous*.	ez vous av**ez**, vous all**ez**, vous finir**ez**, vous partiri**ez**	À l'indicatif présent : vous **êtes**, vous **dites**, vous **faites**
3e pers. du pluriel Le sujet est *ils*, *elles* ou un GN au pluriel.	nt elles o**nt**, elles aime**nt**, elles parlaie**nt**, elles finiro**nt**, ils iro**nt**, les enfants viendro**nt**	

L'accord du verbe

1 Dans les phrases de cette activité, le sujet est un groupe du nom (GN).

Dans chaque phrase :

VOIR PAGE 105

a) écris V sous le verbe conjugué ;

b) mets le sujet entre crochets ;

c) écris « C'est… qui » de part et d'autre du sujet, comme dans l'exemple. (Tu peux utiliser *Ce sont…* si le sujet est au pluriel.)

C'est   qui
Ex. : [L'alpiniste] escalade des montagnes.
                   V

Une alpiniste.

1. Les marcheurs ont besoin d'un bon équipement.

2. Par-dessus tout, les chaussures doivent être imperméables et légères.

3. Les alpinistes apportent un baudrier et un mousqueton.

4. Le baudrier sert à attacher une corde à une personne.

5. Le mousqueton est un anneau de métal.

6. Les expéditions exigent des mois de préparation et une santé de fer.

2 Récris les phrases 2 à 4 de l'activité précédente en remplaçant le GN sujet par un pronom de la 3ᵉ personne : *il*, *elle*, *ils* ou *elles*.

Ex. : *Il escalade des montagnes.*

• Par-dessus tout, _____

• _____

• _____

tiens qu'un
upe du nom
oujours de la
personne.

L'accord du verbe

3

VOIR
PAGE 107

Dans chaque phrase :

a) écris V sous le verbe conjugué ;

b) mets le sujet entre crochets ;

c) à l'aide des abréviations, indique au-dessus du sujet sa personne et son nombre.

1re, 2e, 3e pers. = personne

s. = singulier

pl. = pluriel

Les pronoms *je, tu, on, il* ou *ils* sont toujours sujets. Tu n'as donc pas besoin de les encadrer par « C'est...qui » pour t'assurer qu'ils sont sujets.

2e pers. pl.

Ex.: [Vous] bougez sans arrêt pendant la classe.
          V

1. Nous trépignons d'impatience à l'idée d'aller au théâtre.

2. Pendant le film, vous avez tremblé de peur.

3. Je saute de joie à l'annonce d'une randonnée.

4. À la pensée de voir la mer, elle frémissait de bonheur.

5. Victor, tu gigotes comme un pou !

6. Émues, elles frissonnèrent devant le petit chat blessé.

4 **a)** Justifie l'accord des verbes conjugués en suivant la démarche décrite à la page 107.

Tous les verbes sont à l'indicatif présent.

3e pers. s.

Ex.: [L'alligator femelle] pond jusqu'à soixante œufs à la fois.
          V

3e pers. s.

[Elle] les protège ensuite pendant au moins un an.
     V

L'accord du verbe

1. Chez les manchots royaux, la femelle pond un œuf seulement.

   Les parents le gardent sur leurs pattes, près du ventre, pendant

   trente à cinquante jours.

2. Chez les pingouins, le père creuse un trou sous un arbuste

   ou un rocher. La mère pond plusieurs œufs à la fois.

   Les parents les couvent à tour de rôle.

3. Plusieurs serpents laissent leurs œufs par terre, dans un milieu

   chaud. Ils les abandonnent ensuite.

4. Cependant, quelques serpents protègent leurs œufs contre

   des agresseurs. Par exemple, les pythons les recouvrent

   de leur long corps.

b) Relis les phrases 1 à 4. Lorsqu'il y a un pronom qui n'est pas sujet, souligne-le.

   3e pers. s.

   Ex.: [Elle] les protège ensuite pendant au moins un an.

5 Souligne les verbes qui sont correctement orthographiés et biffe les autres. Justifie ta réponse en utilisant la démarche décrite à la page 107.

Jardinier en herbe

1. Ma grand-mère (a, as) un jardin.

2. Elle (cultivent, cultive, cultives) des légumes chaque été.

3. Dans un coin de son jardin, je (fait, fais) pousser des fleurs.

4. Je les (arrose, arroses) régulièrement.

5. Si vous (aimé, aimez) les plantes, vous pouvez en faire pousser

   sur votre balcon ou dans votre chambre, près d'une fenêtre.

6. Tu (coupes, coupe) un morceau de pomme de terre qui a un

   «œil». Ensuite, tu (plante, plantes) ce morceau dans la terre.

7. Si tu l'(arrose, arroses), tu (obtiendra, obtiendras) un plant

   de pommes de terre.

8. Tu (verras, verra) vite pousser

   des tiges et des feuilles.

L'accord du verbe

  a) Complète les phrases en leur ajoutant un sujet.

Choisis tes sujets dans la liste, en tenant compte de la terminaison des verbes, mais aussi du sens de la phrase.

u ne connais
certains mots,
rche-les dans
dictionnaire.

> • elle   • l'agente de bord   • ils
> • je   • l'aiguilleur   • le pilote et le copilote

À l'aéroport

1. _____ dirigent l'avion vers la piste d'envol.

2. _____ attendent les instructions de la tour de contrôle pour pouvoir décoller.

3. _____ accueille les passagers.

4. _____ les invite à attacher leur ceinture.

5. Dans la tour de contrôle, _____ donne au pilote l'autorisation de décoller.

6. _____ prends l'avion pour la première fois : quelle excitation !

b) Relis le texte pour t'assurer qu'il a du sens.

c) Justifie chacune de tes réponses à l'aide de la démarche de la page 107.

La conjugaison des verbes

Le radical et la terminaison

A Un verbe comporte un **radical** et une **terminaison**.

- **Le radical** est la partie du verbe qui exprime le sens du verbe.
  Il ne change habituellement pas.

  j'aime   nous aimons   tu aimais   vous aimiez

- **La terminaison** est la partie du verbe qui varie selon la personne
  et le temps.

  j'aime   nous aimons   tu aimais   vous aimiez

B Il y a deux grands types de conjugaison : la conjugaison des verbes
en *-er* et la conjugaison des verbes en *-ir*, *-oir* et *-re*.

Verbes en *-er* (sauf *aller*)	Verbes en *-ir*, *-oir* et *-re*	
	Verbes en *-ir* qui font *-issons* à la 1re personne du pluriel de l'indicatif présent	**Autres verbes en *-ir*, verbes en *-oir* et en *-re***
Leur radical est en général le même. Ex. : aimer ⟶ j'aime, nous aimons, j'aimais, j'aimerais, etc.	Ils ont deux radicaux. Ex. : finir ⟶ je finis, nous finissons	Ils ont en général deux radicaux, mais parfois plus. Ex. : savoir ⟶ je sais, nous savons, je saurai, que je sache (Ici, il y a quatre radicaux !)
Leur conjugaison est régulière. Ils ont comme modèle le verbe **aimer**.	Leur conjugaison est régulière. Ils ont comme modèle le verbe **finir**.	Leur conjugaison est irrégulière. Non seulement leur radical peut varier, mais leurs terminaisons sont parfois particulières (par exemple, avec *dire* : vous *dites* et non pas *vous disez*). Il faut apprendre par cœur la conjugaison de ces verbes, un par un.

Heureusement,
la majorité des verbes
sont des verbes
en *-er* !

La conjugaison des verbes

Les temps des verbes

C Les verbes peuvent être utilisés à différents **temps**.
En 3ᵉ année, tu as abordé des temps de l'indicatif :

> le présent,
> l'imparfait,
> le futur simple,
> le passé composé
> et le conditionnel présent.

Cette année, tu te familiariseras avec
un temps du mode impératif et un temps
du mode subjonctif :

> l'impératif présent
> et le subjonctif présent.

Des temps simples et des temps composés

D Lorsqu'il est conjugué à un **temps simple**, le verbe est formé d'un seul mot. Par exemple, à l'indicatif présent : j'aime ; à l'imparfait : j'aimais ; au futur simple : j'aimerai.

E Lorsqu'il est conjugué à un **temps composé**, le verbe est formé de deux mots : l'auxiliaire (*avoir* ou *être*) et le participe passé du verbe. Voici des exemples au passé composé :

> j'ai aimé, nous avons fini, il est parti, elle est partie.

Ne pas confondre les terminaisons *-er* et *-é*

F La terminaison *-er* est celle de l'infinitif de plusieurs verbes :

> aller, aimer, chanter, etc.

On l'emploie :

- lorsque le verbe suit un autre verbe (sauf *avoir* ou *être*) ;
  Elle **doit mang**er tout de suite.

- lorsque le verbe suit une préposition : *à*, *de*, *par*, *pour*, *sans*.
  Elle a le goût **de jou**er maintenant.

G La terminaison *-é* est la terminaison du participe passé des verbes en *-er* :

> il a aimé, il a chanté, il est allé, elle est allée.

L'indicatif présent

L'indicatif présent est un temps du verbe. Il indique que l'action ou le fait dont on parle est en train de se passer.

Aujourd'hui, je vais à l'école à pied.   Maintenant, vous courez avec nous.
En ce moment, tu marches trop vite.

L'indicatif présent sert aussi à exprimer ce qui est toujours vrai ou ce qui est habituel.

La Terre tourne autour du Soleil.   Je me lève chaque jour à sept heures.
Chaque automne, les feuilles tombent.

》》1   Conjugue les verbes donnés à l'indicatif présent.

Indicatif présent			
Aimer	**Finir**	**Voir**	**Rire**
j'	je	je	je
tu	tu	tu	tu
il	elle	il	elle
nous	nous	nous	nous
vous	vous	vous	vous
ils	elles	ils	elles

》》2   Complète le tableau et retiens les principales exceptions de l'indicatif présent.

Principales exceptions à l'indicatif présent			
Avoir	**Être**	**Aller**	**Apprendre** (et d'autres verbes en *-dre*)
j'ai	nous	je	il
tu as	vous	elle va	
ils ont	ils	elles	
Dire	**Faire**	**Pouvoir**	**Vouloir**
vous	vous	je	je
		tu	tu

L'indicatif présent

3 **a)** Écris les verbes à l'indicatif présent.

Qui suis-je ?

1. (*être*) Je _____ un énorme mammifère.

2. (*mesurer*) Ma peau _____ près de deux centimètres d'épaisseur.

3. (*constituer*) Cette peau _____ pour moi une véritable armure.

4. (*défendre*) Elle me _____ contre les agresseurs.

5. (*pouvoir*) Même des énormes griffes ne _____ pas déchirer cette couche protectrice.

6. (*menacer, pouvoir*) Si on me _____ ,

   je _____ charger mon agresseur avec mes cornes.

Réponse : un rhinocéros.

b) Pour vérifier si tu as choisi la bonne terminaison, utilise la démarche décrite à la page 107. Au besoin, consulte un guide de conjugaison.

Au besoin, consulte un guide de conjugaison.

4 Écris les verbes à l'indicatif présent.

Une migration difficile

Ex.: (*entrer*) Par centaines de millions, les oiseaux _____ *entrent* _____

en collision avec des édifices chaque année.

1. (*affronter*) Au cours de leur migration, les oiseaux

_____ de multiples dangers naturels :

des prédateurs, des orages violents, etc.

2. (*devoir*) Dans les grandes villes, ils _____

de plus affronter des structures très élevées.

3. (*savoir*) Quand il fait beau, les oiseaux _____

trouver leur chemin.

4. (*être*) Cependant, lorsque le temps est nuageux ou pluvieux,

certains oiseaux _____ désorientés.

5. (*pouvoir*) Ils ne _____ pas se fier à la Lune

et aux étoiles.

6. (*aller*) Ils _____ vers des sources de lumière :

les édifices.

7. (*entrer*) Ils _____ alors brutalement en collision

avec les fenêtres.

L'indicatif présent

 5 a) Mets le sujet de chaque phrase au pluriel et accorde le verbe
en conséquence.

Dans un studio de télévision

Ex. : Une femme peut exercer tous les métiers.

<u>Des femmes peuvent exercer tous les métiers.</u>

1. Le scénariste écrit l'histoire ou le texte.

_____

2. Le comédien mémorise le texte.

_____

3. Le maquilleur façonne le visage des comédiens.

_____

4. Parfois, il rajeunit leur visage. Parfois, il vieillit leur allure.

_____

_____

5. Le décorateur choisit le décor.

_____

6. Le réalisateur prend les décisions relatives au tournage.

_____

_____

b) Mets le sujet de chaque phrase au singulier et accorde le verbe en conséquence.

Ex.: Les décorateurs élaborent les plans du décor.

Le décorateur élabore les plans du décor. _____

1. Les perchistes placent les micros. Ils suivent les instructions du réalisateur.

_____

_____

2. Les recherchistes recueillent l'information. Souvent, ils trouvent les lieux de tournage.

_____

_____

3. Les éclairagistes manipulent les projecteurs.

_____

4. Les producteurs cherchent le financement. Ils voient ensuite au respect du budget.

_____

_____

5. Les caméramans sont derrière la caméra. Ils prennent les images.

Le caméraman _____

_____

6. Les monteurs vont ensuite mettre bout à bout les images retenues.

_____

_____

L'imparfait

L'imparfait est un temps du verbe. Il indique que l'action ou le fait dont on parle a eu lieu dans le **passé**. Cette action a duré un certain temps.

Autrefois, la télévision et la radio n'existaient pas.

Il y a longtemps, mes parents vivaient en Colombie.

Hier, vous étiez fébriles.

1 À l'imparfait, tous les verbes ont les mêmes terminaisons.
Conjugue les verbes donnés.

Imparfait	
Aimer	**Finir**
j'	je
tu	tu
il	elle
nous	nous
vous	vous
ils	elles

Imparfait	
Voir	**Rire**
je	je
tu	tu
il	elle
nous	nous
vous	vous
ils	elles

2 Les verbes en gras sont à l'indicatif présent.
Écris-les au-dessus à l'imparfait.

VOIR
PAGE 121

Le coureur des bois

Arrivés en Nouvelle-France, plusieurs Français **choisissent**

le métier de coureur des bois. Ils **aiment** les grands espaces et

l'aventure. Ils **recherchent** alors ce travail exigeant et périlleux.

Le coureur des bois **utilise** le canot comme moyen de transport.

Il **va** à la rencontre des Amérindiens. Il **échange** avec eux des fusils

et des pièges contre des fourrures.

Il **peut** partir durant de longs mois. Parfois, il **découvre**

de nouvelles routes.

L'imparfait

3 **a)** Les verbes en gras sont à l'indicatif présent.
Écris-les au-dessus à l'imparfait.

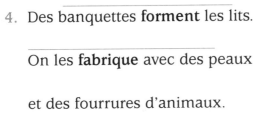

Si tu as de la difficulté à trouver la bonne terminaison, mets les sujets entre crochets et écris la personne au-dessus.

Les maisons longues

1. À l'arrivée des Européens en Amérique, les Iroquoïens **vivent** dans

   des constructions en bois, longues et étroites : des «maisons longues».

2. Plusieurs familles **habitent** dans une même maison.

3. Un animal **est** dessiné au-dessus de la porte.

   Il **représente** le clan du village.

4. Des banquettes **forment** les lits.

   On les **fabrique** avec des peaux

   et des fourrures d'animaux.

5. À certains endroits de la maison longue,

   on **peut** entreposer du maïs, du poisson fumé

   et des articles personnels.

6. On **allume** parfois jusqu'à six foyers dans une maison longue.

7. Des bouches d'aération **permettent** à la fumée de s'échapper.

8. **Sais**-tu que les Iroquoïens vivaient dans des maisons longues

   et les Algonquiens, dans des tentes ?

b) Relis le texte avec les verbes à l'imparfait seulement. Compare les
terminaisons avec celles du tableau de la page 121 et corrige-les,
s'il y a lieu.

Le passé composé

A Le **passé composé** est un temps du verbe. Il exprime une action ou un fait du passé, qui s'est terminé peu après.

> Ce matin, Carmen a marché lentement.
> Hier, nous avons couru au parc.
> À midi, Xavier est parti chez lui.

B Le **passé composé** est formé de deux mots :

un **auxiliaire au présent** (*avoir* ou *être*) et le **participe passé** du verbe.

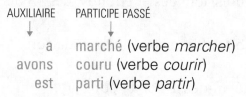

AUXILIAIRE   PARTICIPE PASSÉ

a	marché (verbe *marcher*)
avons	couru (verbe *courir*)
est	parti (verbe *partir*)

> Dans la majorité des cas, le participe passé se termine par *-é* ou par *-i*.

C L'auxiliaire s'accorde avec le sujet : il prend la personne et le nombre du sujet.

> 1re pers. pl.
> Nous avons couru au parc.

D Avec l'auxiliaire *avoir*, le participe passé est invariable dans la plupart des cas :

> elle a aimé, elle a chanté, ils ont fini, ils ont couru.

La majorité des verbes se conjuguent avec l'auxiliaire *avoir*.

E Avec l'auxiliaire *être*, le participe passé prend le genre et le nombre du sujet :

> il est allé, elle est allée, ils sont partis, elles sont parties.

F Retiens la lettre finale du participe passé, au masculin singulier :

Verbes en *-er*	Verbes en *-ir*, *-oir* et *-re*	
	Verbes en *-ir* qui font *-issons* à la 1re personne du pluriel de l'indicatif présent, comme *finir*	Autres verbes en *-ir*, verbes en *-oir* et en *-re*
é	i	i, u, s ou t
j'ai parlé, j'ai chanté, j'ai dansé, je suis allé	j'ai choisi, j'ai fini, j'ai puni, j'ai rempli	j'ai ri, j'ai suivi, je suis parti j'ai bu, j'ai couru, j'ai vu, je suis venu j'ai appris, j'ai pris j'ai dit, j'ai écrit, j'ai fait

Le passé composé

 1 Conjugue les verbes au passé composé. Avec le verbe *aller*, utilise le participe passé au masculin.

Passé composé	
Parler	**Aller**
j'	je *suis allé*
tu	tu
elle	il
nous	nous
vous	vous
elles	ils

 2 Remplis le tableau suivant.

Passé composé	Auxiliaire	Participe passé	Verbes à l'infinitif
Ex.: j'ai couru	*avoir*	*couru*	*courir*
1. elle a choisi			
2. elle est arrivée			
3. elle a dit			
4. vous avez dormi			
5. il est venu			
6. ils sont partis			

3 Choisis le mot qui convient et souligne-le.

- Si tu choisis le verbe à l'infinitif, entoure le mot qui justifie son emploi.

VOIR
PAGES 102
et 124

- Si tu choisis le participe passé, souligne son auxiliaire : *avoir* ou *être*.

Ex.: Hier, nous avons (décider, décidé) de (cuisiner, cuisiné).

1. Mes amis sont (arrivé, arrivés, arriver) tôt et nous avons (dresser, dressé) le menu.

2. Nous voulions (épater, épaté) nos parents.

3. Nous avons (travailler, travaillé) pendant des heures.

4. J'ai (aider, aidé) à (préparer, préparé) des brochettes de poisson.

Le futur simple

A Le **futur simple** est un temps du verbe. Il exprime une action ou un fait à venir.

Tantôt, tu liras une bande dessinée.
Demain, nous irons au musée.
La semaine prochaine, nous assisterons à un concert.
Bientôt, Carl sera un artiste célèbre.

B Au futur, il ne faut pas oublier de mettre le *e* dans les verbes en *-er*, même si on ne l'entend pas à l'oral :

je crierai, j'étudierai, je travaillerai, etc.

》》1 Conjugue les verbes au futur simple.

Futur simple	
Aimer	**Étudier**
j'	j'
tu	tu
il	il
nous	nous
vous	vous
ils	ils

Futur simple		
Finir	**Voir**	**Rire**
je	je	je
tu	tu	tu
elle	elle	elle
nous	nous	nous
vous	vous	vous
elles	elles	elles

Le futur simple

2

VOIR
PAGE 126

a) Lis les phrases ci-dessous et écris V sous chaque verbe conjugué.

b) Récris les phrases en mettant les verbes conjugués au futur simple.

À l'usine automobile

Ex.: L'ingénieur propose et élabore des nouveaux modèles d'automobiles.
                V   V

L'ingénieur proposera et élaborera des nouveaux modèles

d'automobiles.

1. Les dessinateurs imaginent et dessinent la forme de la carrosserie.

    _____

    _____

2. Des machinistes font des pièces et manipulent les robots.

    _____

    _____

3. Des robots assemblent les pièces de la carrosserie et du moteur.

    _____

    _____

4. L'électronicien installe le circuit électrique.

    _____

> Le pronom interrogatif « qui » est de la 3ᵉ personne du singulier.

5. Qui voit à créer des autos non polluantes ?

    _____

6. Qui pense à concevoir des autos accessibles à tous ?

    _____

    _____

c) Surligne les terminaisons des verbes que tu as écrits et compare-les avec celles des tableaux de la page 126. Si tu as fait des erreurs, corrige-les.

Le futur simple

▶▶3 a) Vers 1960, des personnes ont imaginé les années 2000...

Mets les verbes au futur simple ; tu verras comment ces personnes imaginaient l'époque actuelle.

Dans l'avenir

1. (*pouvoir*) Nous _____ être transportés instantanément dans un autre lieu.

2. (*suffire*) La force de notre volonté _____ .

3. (*être*) Ce _____ le siècle du loisir.

4. (*compter*) La semaine de travail _____ deux ou trois jours seulement.

5. (*comprendre*) On _____ plus rapidement les choses les plus complexes.

6. (*être*) Les humains _____ unis et en paix.

b) Comment te représentes-tu l'avenir ? Réponds en faisant un dessin. Sous ton dessin, écris une phrase en mettant le verbe au futur.

_____

_____

Le futur simple

4 Dans certains parcours d'hébertisme,
le « sentier » est suspendu entre ciel et terre.
Solidement attaché avec un harnais, on se
promène… d'arbre en arbre.

On se promène d'arbre en arbre.

a) Imagine que tu pourras aller à un tel
endroit l'été prochain. Écris quatre
phrases pour décrire ce que tu feras
ou ce que tu ressentiras. Mets tes verbes
au futur simple.

Voici quelques verbes que tu pourrais
utiliser : *avoir peur, frissonner, trembler,
crier, rire, sauter, voler, grimper, bercer,
survoler, contempler.*

L'été prochain, _____

_____

_____

_____

_____

_____

_____

b) Surligne les terminaisons des verbes
que tu as écrits et compare-les avec
celles des tableaux de la page 126.
Si tu as fait des erreurs, corrige-les.

c) Choisis deux phrases que tu as
écrites en *a*.

Si le sujet est au singulier, mets-le
au pluriel et accorde le verbe.

Si le sujet est au pluriel, mets-le
au singulier et accorde le verbe.

As-tu le vertige ?

_____

_____

_____

_____

Le conditionnel présent

(A) Le **conditionnel présent** exprime une action ou un fait à venir, mais incertain.

> J'aimerais bien devenir pilote d'avion.

(B) Le conditionnel présent sert aussi à exprimer une action ou un fait qui pourrait se réaliser, mais à une certaine condition.

> Tu pourrais venir chez moi si tes parents étaient d'accord.

> **Attention !** La condition, exprimée à l'aide du mot « si », se met à l'imparfait : *si tes parents **étaient** d'accord…*

(C) Au conditionnel présent, il ne faut pas oublier de mettre le *e* dans les verbes en *-er*, même si on ne l'entend pas à l'oral :

> je crierais, j'étudierais, je travaillerais, etc.

1 Conjugue les verbes au conditionnel présent.

Conditionnel présent	
Aimer	**Étudier**
j'	j'
tu	tu
il	il
nous	nous
vous	vous
ils	ils

Conditionnel présent		
Finir	**Voir**	**Rire**
je	je	je
tu	tu	tu
elle	elle	elle
nous	nous	nous
vous	vous	vous
elles	elles	elles

Le conditionnel présent

2 Complète le tableau.

Infinitif	Présent	Futur simple	Conditionnel présent
Ex.: Aimer	J'aime	J'aimerai	J'aimerais
1. Aller	Je	J'irai	J'
2. Crier	Je	Je	Je
3. Devoir	Nous	Nous devrons	Nous
4. Dire	Vous	Vous	Vous
5. Faire	Vous	Vous	Vous feriez
6. Jouer	Vous	Vous	Vous
7. Partir	Ils	Ils	Ils
8. Pouvoir	Nous	Nous pourrons	Nous
9. Prendre	Nous prenons	Nous	Nous
10. Savoir	Vous	Vous	Vous sauriez
11. Tenir	Ils	Ils	Ils
12. Venir	Elles	Elles viendront	Elles

3 Écris le premier verbe à l'imparfait, et le second au conditionnel présent.

VOIR PAGES 121 et 130

Ex.: Si j'___étais___ plus en forme, je ___pourrais___ gravir cette montagne.
(être) (pouvoir)

1. Si tu _____ magicien,
(être)

   tu me _____ en lapin.
(transformer)

2. Si Émile _____ chanter,
(savoir)

   il _____ partie de la chorale.
(faire)

3. Si nous _____ partir,
(devoir)

   nous _____ malheureux.
(être)

4. Si nous _____ nous déplacer instantanément,
(pouvoir)

   j'_____ au sommet de la plus haute montagne.
(aller)

L'impératif présent

A Un verbe à l'**impératif présent** exprime un ordre, un conseil, une recommandation. On trouve des verbes à ce temps dans des phrases impératives.

> **Viens** ici.
> **Attache** bien ton manteau.
> **Soyons** courageux.

B L'impératif présent ne comporte que **trois personnes**. Il s'emploie sans pronom de conjugaison.

Terminaisons de l'impératif présent

Sujet	Verbes en *-er*	Les autres verbes	Principales exceptions
2e pers. s.	**e** aim**e**	**s** fini**s**	*aller* : **va** *avoir* : **aie**
1re pers. pl.	**ons** aim**ons**	**ons** finiss**ons**	
2e pers. pl.	**ez** aim**ez**	**ez** finiss**ez**	*dire* : **dites** *faire* : **faites**

Remarque – À la 2e personne du singulier, les verbes en *-er* (et quelques autres verbes) prennent un *s* devant les pronoms *en* et *y* qui les complètent.

> Vas-y. Donnes-en.

 1 Complète le tableau des verbes *avoir*, *être*, *aller*, *dire* et *faire* à l'impératif présent, puis apprends ces conjugaisons par cœur. Aide-toi du tableau ci-dessus.

Avoir	Être	Aller	Dire	Faire
	Sois			
Ayons			Disons	Faisons

Avançons !

L'impératif présent

 2 Voici une recette de cuisine. Les verbes sont à l'infinitif.

Mets les verbes à l'impératif présent : d'abord à la 2e personne du singulier, puis à la 2e personne du pluriel.

Salade de pois chiches

Attention aux allergies !

Ingrédients

- 1 boîte de pois chiches
- 1 oignon rouge
- 1 poivron rouge ou vert
- 1 pomme
- 1 branche de céleri
- du persil frais
- 1 gousse d'ail
- 3 c. à table de vinaigrette

Marche à suivre	2e pers. du singulier	2e pers. du pluriel
Rincer les pois chiches à l'eau froide.	Ex.: Rince	Rincez
Déposer les pois chiches dans un bol.		
Couper la pomme en dés.		
Hacher les autres ingrédients secs.		
Mêler le tout avec les pois.		
Ajouter la vinaigrette.		
Saler et *poivrer* (au goût).		
Ranger au réfrigérateur.		
Servir avec des craquelins.		

3 La veille d'un match, l'entraîneur de soccer donne ses recommandations.
Mets ses verbes à l'impératif présent.

Il dit à Philippe :

Ex. : *passer*   _____ Passe _____ une bonne nuit.

1. *dormir*   _____ bien.

2. *prendre*   _____ un bon déjeuner, demain matin.

3. *apporter*   _____ tes vêtements de sport.

4. *être*   _____ à l'heure.

5. *faire*   _____ tes exercices.

Il dit à tous les joueurs de l'équipe :

Ex. : *passer*   _____ Passez _____ une bonne nuit.

1. *dormir*   _____ bien.

2. *inviter*   _____ vos parents.

3. *manger*   _____ un bon repas.

4. *être*   _____ à l'heure.

5. *avoir*   _____ l'esprit sportif.

6. *respecter*   _____ vos adversaires.

7. *applaudir*   _____ les bons coups de vos camarades.

L'impératif présent

4 La marche à suivre de la recette suivante est constituée de phrases déclaratives.

VOIR
PAGE 132

Récris-la en transformant les phrases en phrases impératives.

> Attention aux allergies !

Sorbet aux bleuets

Ingrédients

- 2 tasses de bleuets
- $1/4$ de tasse de sucre
- 2 œufs

Marche à suivre

Ex.: Tu mets 2 tasses de bleuets dans un robot culinaire.

Mets 2 tasses de bleuets dans un robot culinaire.

1. Tu actionnes le robot jusqu'à l'obtention d'une purée lisse.

   _____

   _____

2. Tu ajoutes 2 œufs, sans arrêter de battre.

   _____

3. Tu saupoudres environ $1/4$ de tasse de sucre.

   _____

4. Tu vérifies si le tout est bien homogène, puis tu verses le mélange dans un moule.

   _____

   _____

5. Tu recouvres le moule et tu le places au congélateur.

   _____

Le subjonctif présent

A Le **subjonctif présent** est utilisé après des verbes comme *craindre, demander, douter, exiger, falloir, souhaiter, vouloir* suivis du mot *que*.

> Je crains que Magali soit en retard.
> Il faut que tu viennes ici.
> Nous souhaitons que vous veniez à notre spectacle.
> Elle ne veut pas qu'on mange tout de suite.

B Sauf pour les verbes *avoir* et *être*, les **terminaisons du subjonctif présent** sont les mêmes pour tous les verbes. Les voici :

1re pers. s. :	e	que j'aim**e**
2e pers. s. :	es	que tu aim**es**
3e pers. s. :	e	qu'il aim**e**
1re pers. pl. :	ions	que nous aim**ions**
2e pers. pl. :	iez	que vous aim**iez**
3e pers. pl. :	ent	qu'elles aim**ent**

> Tu trouveras la conjugaison des verbes *avoir, être, aller* et *faire* à la fin du cahier.

C Aux personnes du pluriel, le **radical** du subjonctif présent de la grande majorité des verbes est le même qu'à l'indicatif présent. Par exemple, le verbe *prendre* :

Indicatif présent	Subjonctif présent
nous pren**ons**	que nous pren**ions**
vous pren**ez**	que vous pren**iez**
ils prenn**ent**	qu'elles prenn**ent**

≫ 1 Conjugue les verbes au subjonctif présent.

Subjonctif présent		
Finir	**Voir**	**Rire**
que je finisse	que je voie	que je
que tu	que tu	que tu
qu'elle	qu'il	qu'elle
que nous	que nous voyions	que nous riions
que vous	que vous	que vous
qu'elles	qu'ils	qu'elles

2 **a)** Écris, dans le tableau, l'infinitif de chaque verbe souligné.

b) Conjugue ensuite chacun de ces verbes à la 1ʳᵉ personne du singulier et à la 1ʳᵉ personne du pluriel du subjonctif présent.

VOIR PAGE 136

Un débat

La directrice de l'école souhaite que la cour de l'école **ait**❶ un espace vert. Elle veut que la cour **soit**❷ un lieu de plaisir et de détente.

Le professeur d'éducation physique exige que l'école **réserve**❸ un coin pour la pratique de certains sports.

Des élèves demandent qu'on **pose**❹ des balançoires et des glissoires.

Les parents veulent qu'on **installe**❺ des tables de pique-nique.

Je crains qu'on ne **réussisse**❻ pas à s'entendre.

Infinitif	Subjonctif présent	
	1ʳᵉ pers. s.	1ʳᵉ pers. pl.
Ex.: ❶ avoir	que j'aie	que nous ayons
❷		
❸		
❹		
❺		
❻		

Le bon emploi des temps de verbes

Dans un texte, comment savoir quel temps employer ?

A Parfois, certains mots nous donnent des indices. En effet, des mots comme *hier, aujourd'hui, demain, autrefois, après, avant, pendant ce temps,* etc., aident à situer une action dans le temps.

B Il faut aussi tenir compte de la signification d'un temps de verbe par rapport aux autres temps utilisés dans le texte.

Par exemple, si, dans un texte, on raconte un événement au <u>passé composé</u>, on utilisera l'**imparfait** pour faire des descriptions.

L'ours <u>a été</u> surpris de nous voir. Il <u>a détalé</u> à toute vitesse.

Il <u>a couru</u> jusqu'au lac. C'**était** un jeune ours. Sa fourrure **brillait** d'un beau noir.

>> **1** Au-dessus de chaque verbe conjugué (en caractères gras), indique à quel temps il est employé.

Utilise les abréviations suivantes.

- indicatif présent : **ind. prés.**
- imparfait : **imparf.**
- passé composé : **p. c.**
- futur simple : **futur s.**
- conditionnel présent : **cond. prés.**

Le vœu de Jérémie

Ex.: Hier, Jérémie n'**a** pas **terminé** ses devoirs.
            <u>p. c.</u>

Aujourd'hui, en classe, il **fait** un vœu. Il **voudrait** voir son enseignante

transformée en papillon.

Tout à coup, l'enseignante **bat** des ailes. Elle **vole** de plus en plus haut dans

la classe.

Puis elle **disparaît**. En effet, les fenêtres de la classe **étaient** ouvertes.

Tous les élèves **sont** consternés. Jérémie **a** peur. Il **a fait** une bêtise, c'est sûr.

Soudainement, il **ouvre** les yeux. Il **voit** un papillon à la fenêtre. Au tableau,

l'enseignante **explique** une règle de grammaire.

Jérémie **dormait**. Il **rêvait** ! Ouf ! Ce soir, il **se couchera** tôt !

2 Dans les paires d'énoncés ci-dessous, il y a un seul énoncé où les temps des verbes sont correctement employés. Coche cet énoncé.

Ex.: a) ☑ Rafa étudiait quand je l'ai appelé.

    b) ☐ Rafa étudiait quand je l'appellerai.

1. a) ☐ Si je serais moins impatient, j'apprendrais plus vite.

    b) ☐ Si j'étais moins impatient, j'apprendrais plus vite.

2. a) ☐ L'arbre de notre cour est tombé. Il a été centenaire.

    b) ☐ L'arbre de notre cour est tombé. Il était centenaire.

3. a) ☐ Si vous lisiez plus souvent, vous seriez meilleurs en écriture.

    b) ☐ Si vous liriez plus souvent, vous seriez meilleurs en écriture.

4. a) ☐ Mon grand-père travaille encore. En ce moment, il est jardinier.

    b) ☐ Mon grand-père travaille encore. En ce moment, il a été jardinier.

Le bon emploi des temps de verbes

3 **a)** Mets chaque verbe au temps approprié et écris au-dessus du verbe de quel temps il s'agit.

_____passé composé_____

Ex.: Hier, Lola ____a apporté____ à la maison le lapin du service de garde.
_____(apporter)

1. Quand elle _____ la porte de la cage, il s'est sauvé !
_____(ouvrir)

2. Il _____ se cacher sous le sofa.
_____(aller)

  Puis, il _____ dans toute la maison.
_____(courir)

3. Il _____ les fils du téléphone.
_____(grignoter)

4. Mes parents _____ désemparés.
_____(être)

  Lola _____ .
_____(crier)

5. Demain, nous le _____ au service de garde.
_____(rapporter)

6. Bien sûr, si nous _____ capables de l'attraper !
_____(être)

b) Relis le texte, à partir de l'exemple, afin de vérifier s'il a du sens.

c) Vérifie les accords des verbes, en procédant comme dans l'exemple suivant.

_____3ᵉ pers. s.____passé composé_____

Ex.: Hier, [Lola] ____a apporté____ à la maison le lapin du service de garde.
_____(apporter)

L'orthographe

Des signes à retenir

La majuscule

A On utilise une **lettre majuscule** :
— au début d'une phrase ;
— au début d'un nom propre.

Un **nom propre** permet de distinguer une réalité d'une autre réalité semblable.

Il permet ainsi de nommer :

une personne, un personnage, un animal ;
> Marie Grenier, Obélix et son chien Idéfix

une population, un peuple ;
> les Montréalais, les Québécois, les Canadiens

un lieu géographique précis ;
> la ville de Longueuil, le fleuve Saint-Laurent, le Québec

un édifice ou un établissement ;
> l'école Jonathan, la bibliothèque de Côte-des-Neiges

une fête.
> la fête des Mères, Halloween

> Attention ! On ne met pas de majuscule aux adjectifs, ni aux noms désignant une langue.
> La majorité du peuple **brésilien** parle le **portugais**.

L'apostrophe

B **L'apostrophe** est un signe qui permet d'enlever une voyelle devant un mot qui commence par une voyelle ou un *h* muet.

- Le cas de deux voyelles <u>prononcées</u> qui se rencontrent

la~~a~~mie ⟶ l'amie

le~~e~~été ⟶ l'été

un jour de~~e~~été ⟶ un jour d'été

Je veux que~~e~~il vienne ici. ⟶ Je veux qu'il vienne ici.

Elle part parce que~~e~~elle est malade. ⟶ Elle part parce qu'elle est malade.

- Le cas du *h* muet

la~~a~~herbe ⟶ l'herbe

le~~e~~habit ⟶ l'habit

un jour de~~e~~hiver ⟶ un jour d'hiver

Attention ! On conserve la voyelle devant un mot qui commence par un *h* aspiré.
> la haine, le héros

Certains dictionnaires indiquent si le *h* est muet ou aspiré.

⟶

Les accents et le tréma

C En français, il y a **trois accents** : l'accent aigu $\boxed{\diagup}$, l'accent grave $\boxed{\diagdown}$ et l'accent circonflexe $\boxed{\wedge}$. Ils s'utilisent sur les voyelles seulement.

D **L'accent aigu** ne s'emploie que sur la lettre *e*. Il donne le son [é].

    Mélanie déguste de la réglisse dans le métro.

E **L'accent grave** et l'**accent circonflexe** sur la lettre *e* donnent le son qu'on entend dans « père » et « pêche ». C'est le même son.

    Ma mère a mêlé tous mes vêtements.

F Les accents servent parfois à distinguer des mots.

Il a un vélo.
a : verbe « avoir »

Il va à l'épicerie.
à : mot invariable

La vieille auto ne démarre pas.
la : déterminant, accompagne un nom

Elle n'ira pas là.
là : mot invariable qui indique le lieu

J'irai à la piscine ou au parc.
ou : mot invariable qui indique un choix

Et toi, où vas-tu ?
où : mot invariable qui indique le lieu

G Le **tréma** (*ë, ï*) permet de prononcer séparément deux voyelles qui se suivent.

    À Noël, Noëlla s'est cassé la jambe. Aïe ! Ça fait mal !
    Joël aime le maïs, mais il n'en mange pas souvent.

Des stratégies à utiliser

Tu hésites sur l'orthographe d'un mot ? Voici quelques moyens que tu peux utiliser.

A Penser aux mots de même famille

- Pense à des mots de la même famille que le mot qui te pose un problème. Si tu sais écrire le mot de base (voir page 43), tu sauras écrire les mots qui en dérivent.

  Par exemple, si tu sais écrire le mot « **lent** », tu sauras écrire les mots ralentir, lenteur, lentement.

Des signes à retenir, des stratégies à utiliser

- Certains noms se terminent par une lettre muette. Retiens des mots de la même famille que ce nom : tu n'oublieras pas sa lettre muette.

  un alimen▦ → alimenter, alimentation, alimentaire. Donc : un aliment !

B ### Mettre le mot au féminin

Tu t'interroges sur la lettre finale d'un nom de personne au masculin ? Ou sur la lettre finale d'un adjectif ou d'un participe passé au masculin ?

Mets ce mot au féminin : tu trouveras presque à coup sûr la lettre qui te manque !

un présiden▦ → une présidente ; donc : un président

un avion construi▦ → une maison construite ; donc : un avion construit

un algorithme appri▦ → une règle apprise ; donc : un algorithme appris

C ### Penser aux règles de certaines lettres

Pense au son que donnent certaines lettres, selon leur position dans le mot. Voici une synthèse de ces règles, avec quelques exemples.

Lettres	Position	Son	Exemples
s	après une consonne	[s]	*danse, pensée*
s	entre deux voyelles	[z]	*maison, cousin*
ss	entre deux voyelles	[s]	*assiette, coussin*
c	devant *a, o, u*	[k]	*cahier, court, cube*
ç	devant *a, o, u*	[s]	*façade, leçon, reçu*
c	devant *e, i*	[s]	*ceci, cinéma*
g	devant *e, i, y*	[j]	*genou, gifle, gymnase*
ge	devant *a, o, u*	[j]	*rougeâtre, bourgeon, gageure*
g	devant *a, o, u*	[g]	*garage, goûter, argument*
gu	devant *e, i, y*	[g]	*guerre, guirlande, Guy*
j	devant *a, e, o, u*	[j]	*jambe, jeter, majorité, jumelle*
m ou n	entre une voyelle et *b, m* ou *p*	[an]	*jambon, emmener, ampoule*
		[on]	*tombe, trompe* **Exceptions :** *bonbon, embonpoint*
		[in]	*imbuvable, immangeable, impoli*

D ### Utiliser un dictionnaire

N'hésite pas à consulter souvent un dictionnaire ! Prends en note les mots que tu apprends ; écris-les trois ou quatre fois pour bien retenir leur orthographe.

1 Biffe les lettres minuscules erronées et remplace-les par une lettre majuscule.

VOIR
PAGE 141

Il y a quatre cents ans...

1. ~~l~~orsque les ~~f~~rançais sont arrivés en ~~a~~mérique, ils se sont d'abord installés le long du fleuve ~~s~~aint-~~l~~aurent.

2. ~~l~~es premières villes importantes de la ~~n~~ouvelle-~~f~~rance ont été ~~q~~uébec, ~~t~~rois-~~r~~ivières et ~~m~~ontréal.

3. ~~o~~n associe les noms des hommes suivants à la fondation des trois villes : ~~c~~hamplain, ~~l~~aviolette et ~~m~~aisonneuve[1].

4. ~~l~~'infirmière ~~j~~eanne ~~m~~ance a participé à la fondation de ~~m~~ontréal.

5. ~~l~~es ~~i~~roquoïens et les ~~a~~lgonquiens habitaient déjà ici, depuis des milliers d'années.

6. ~~l~~es premiers colons de la ~~n~~ouvelle-~~f~~rance étaient de religion chrétienne ; ~~i~~ls célébraient des fêtes religieuses, par exemple ~~p~~âques.

7. ~~a~~ cette époque, l'~~h~~alloween n'était pas célébrée ici. ~~l~~a fête des ~~m~~ères, la fête des ~~p~~ères et bien d'autres fêtes n'existaient pas.

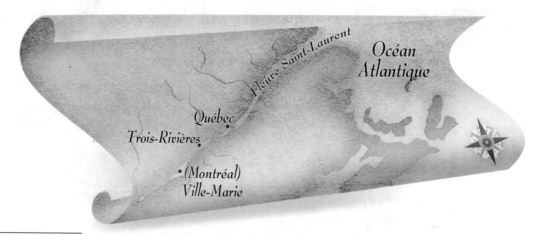

---

1. Le nom complet de deux de ces hommes était en fait : Samuel de Champlain et Paul de Chomedey de Maisonneuve. On ne connaît pas le prénom de Laviolette.

>> **2 a)** Classe les mots suivants dans le tableau. Biffe-les au fur et à mesure qu'ils sont classés.

✓• ancêtre	✓• écolière	✓• guêpe	• spécial
✓• bateau	• épingle	✓• hôpital	✓• tôt
✓• bibliothèque	✓• espion	✓• là-bas	• zéro
✓• conifère	✓• excitation	✓• pâle	
✓• déjà	✓• exploration	✓• règle	
• départ	✓• gâteau	✓• siècle	

Mots avec accent aigu et accent grave	Mots avec accent grave seulement	Mots avec accent circonflexe seulement	Mots sans accent
écolière	là-bas	ancêtre	exploration
déjà	conifère	guêpe	espion
	bibliothèque	hôpital	bateau
	règle	tôt	
	siècle	pâle	
		gâteau	

b) Quels mots n'ont pas été utilisés ? Ceux qui ont un ___∧___ seulement. Écris-les ici. (Il y en a quatre.)

zéro, spécial, épingle, départ.

✗ Vérifie si tu as transcrit les mots correctement, puis apprends leur orthographe par cœur.

Des signes à retenir, des stratégies à utiliser

3 Dans les phrases suivantes, certains mots devraient avoir un tréma. Ajoute-le aux bons endroits.

1. Le mot « naif » peut être un adjectif ou un nom. Au féminin, il fait « naive ».

2. Le verbe « hair » est bizarre. Tantôt le « i » se prononce, tantôt, non. Je hais, tu hais, il hait, mais nous haissons, vous haissez, ils haissent ! Il faut croire qu'au pluriel, on hait plus fort !

3. Mon aieul a accompli des gestes héroiques. Il était loin d'être égoiste.

4. Mon cousin Noel et ma cousine Joelle raffolent du mais.

4 À partir des mots de la même famille, ajoute la lettre finale du nom donné à droite.

Mots de la même famille	Noms
Ex. : blondeur, blondir	un blon_d_
1. draper, draperie	un dra___
2. transporter	le transpor___
3. venter, venteux	le ven___
4. brasser	un bra___
5. sportif	un spor___

5 Trouve la lettre finale des adjectifs au masculin en les mettant d'abord au féminin.

Féminin	Masculin
Ex. : une personne sédui_te_	un enfant sédui_t_
1. une action interdi___	un geste interdi___
2. une sortie permi___	un sport permi___
3. une robe lon___	un manteau lon___
4. une fille bavar___	un garçon bavar___

Des signes à retenir, des stratégies à utiliser

>> **6** Classe les mots dans le tableau afin de t'aider à les mémoriser.

- asthme
- thé
- athlète
- théâtre
- marathon
- mathématique
- méthode
- rythme
- théorie

th au début du mot	*th* à l'intérieur du mot

>> **7** Les mots suivants comportent tous le son [f]. Classe-les dans le tableau selon qu'ils s'écrivent avec *f* ou avec *ph*.

- éléphant
- forêt
- fantôme
- dauphin
- pharmacie
- phrase
- fleuve
- fraise
- orthographe
- téléphone
- farce
- photographie
- fenêtre
- trophée
- façon
- français

Mots contenant *f*	Mots contenant *ph*

8 **a)** Classe les noms dans le tableau, selon qu'ils se terminent par *-tion* ou *-ssion*. Il restera deux noms.

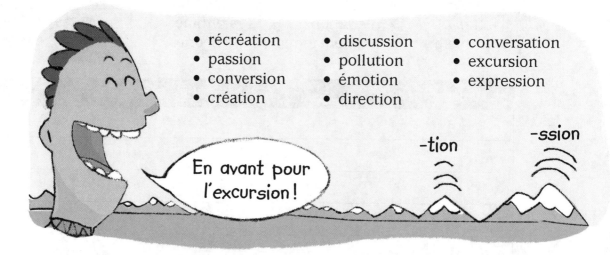

- récréation
- passion
- conversion
- création

- discussion
- pollution
- émotion
- direction

- conversation
- excursion
- expression

En avant pour l'excursion !

-tion

-ssion

Noms finissant par *-tion*	Noms finissant par *-ssion*
_____	_____
_____	_____
_____	_____
_____	_____
_____	_____
_____	_____

b) Les deux noms qui restent sont : _____

et _____ .

9 Identifie la classe des mots (en caractères gras) de chaque colonne.

Classe des _____	Classe des _____
un **accueil**	il **accueille**
un **conseil**	je **conseille**
un **recueil**	il **recueille**
un **réveil**	elle **réveille**
un **travail**	on **travaille**

Des signes à retenir, des stratégies à utiliser

10 **a)** En général :

- le son final [é] d'un nom masculin s'écrit *-é* ;
- le son final [é] d'un nom féminin s'écrit *-ée* ;
- le son final [té] d'un nom féminin s'écrit *-té* quand il s'agit d'un nom qui désigne quelque chose qu'on ne peut pas toucher, par exemple une qualité ou une façon d'être.

Écris dans la colonne appropriée les noms qu'on te dicte.

Noms masculins en *-é*	Noms féminins en *-ée*	Noms féminins en *-té*
_____	_____	_____
_____	_____	_____
_____	_____	_____
_____	_____	_____
_____	_____	_____
Exceptions : un musée / un trophée	Exception : une clé	

b) On utilise le suffixe *-er* ou *-ier* pour former des noms masculins de métiers et des noms d'arbres fruitiers.

À partir des mots donnés, forme des noms masculins à l'aide du suffixe *-er* ou *-ier*.

Ex. : charpente → un _charpentier_

1. barbe   un _____
2. bijou   un _____
3. boucherie   un _____
4. boulangerie   un _____
5. caisse   un _____
6. ferme   un _____
7. orange   un _____
8. poire   un _____
9. pomme   un _____
10. prune   un _____

Des signes à retenir, des stratégies à utiliser

>> **11**   Réponds aux devinettes.

Indice : tous les mots se terminent par un *x*.

Ex.:   Je suis le contraire de « violent ».   doux _____

1. Quand les gens ne savaient pas écrire,
    ils signaient en faisant une…   _____

2. C'est le contraire de « vrai ».   _____

3. Les gens avec des taches de rousseur
    ont souvent les cheveux…   _____

4. Je suis le fruit du noyer.   _____

5. Je suis quelqu'un qui a peur.   _____

6. Je suis quelqu'un qui éprouve de la jalousie.   _____

7. Quand on a la possibilité de choisir, on a le… _____

8. C'est la somme d'argent qu'il faut payer
    pour acheter un objet.   _____

9. Je suis un nom féminin de la même famille
    que le verbe « tousser ».   _____

10. Quand quelqu'un parle, on entend sa…   _____

11. C'est le contraire de « jeune ».   _____

12. Je suis le nombre compris entre neuf et onze.   _____

13. Quand on n'est pas en guerre, on est en…   _____

Des mots qui ont le même son

Les mots *a* et *à*

Mots	Exemples	Classe des mots	Moyen de reconnaître le mot
a	*Il a faim.* Avec *tu*, c'est *as*: *Tu as faim.*	verbe *avoir*	Comme c'est un verbe, je peux le conjuguer à un autre temps. *Il **avait** faim.* *Tu **avais** faim.*
à	*Tu déménages à Laval.*	mot invariable	Je ne peux pas conjuguer le mot *à* puisque ce n'est pas un verbe. *Tu déménages ~~avais~~ Laval.*

Les mots *ça* et *sa*

Mots	Exemples	Classe des mots	Moyen de reconnaître le mot
ça	*Ça va ? Ça te plaît ?* *J'aime ça.*	pronom démonstratif	Je peux le remplacer par un autre pronom démonstratif : *cela.* ***Cela** va ? **Cela** te plaît ? J'aime **cela**.*
sa	*C'est <u>sa vie</u>.*	déterminant possessif	Il est dans un <u>GN</u>. Comme c'est un déterminant, je peux le remplacer par un autre déterminant. *C'est **la** vie.*

Les mots *ces*, *ses* et *c'est*

Mots	Exemples	Classe des mots	Moyen de reconnaître le mot
ces	*Ces chats sont gris.*	déterminant démonstratif	Il est dans un GN. Je peux ajouter *-là* après le nom. ***Ces** chats-**là** sont gris.*
ses	*Louis est mal chaussé ; ses chaussures sont usées.*	déterminant possessif	Il est dans un GN. C'est un déterminant qui indique l'appartenance, la propriété. (*ses* chaussures = des chaussures qui lui appartiennent, qui sont à lui.)
c'est	*C'est joli.* *C'est Luce qui parle.*	pronom démonstratif (*c'*) et verbe *être* Devant une voyelle, le pronom *ce* devient *c'*. Il a le sens de « cela ».	Je peux remplacer *c'est* par *ce n'est pas*. ***Ce n'est pas** joli.* ***Ce n'est pas** Luce qui parle.*

Les mots *la*, *l'a* et *là*

Mots	Exemples	Classe des mots	Moyen de reconnaître le mot
la	*La souris est partie.*	déterminant (article)	Il est dans un GN. Comme c'est un déterminant, je peux le remplacer par un autre déterminant, par exemple : *une*. ***Une** souris est partie.*
	Cette pomme, je la veux. *Chante-la, cette chanson.*	pronom personnel	Il remplace un GN. Il complète le verbe.
l'a	*Une souris ! Le chat l'a mangée !* Avec *tu*, on écrit *l'as* : *Tu l'as vue.*	pronom personnel (*l'*) et auxiliaire *avoir* Ici, le pronom *l'* remplace le GN « une souris ».	Je peux mettre l'auxiliaire *avoir* à un autre temps. *Le chat l'**avait** mangée.* *Tu l'**avais** vue.*
là	*Je vais là.*	mot invariable	Il indique un endroit. Je peux le remplacer par *à cet endroit*. *Je vais **à cet** endroit.*

Les mots *la*, *l'a* et *là* (suite)

Mots	Exemples	Classe des mots	Moyen de reconnaître le mot
-là	*Cette fille-là est gentille.*	fait partie d'un déterminant démonstratif	Il est dans un <u>GN</u>. Je pourrais dire : **cette** *fille-ci.*

Les mots *m'a* et *ma*

Mots	Exemples	Classe des mots	Moyen de reconnaître le mot
m'a	*Luc m'a aperçu.* Avec *tu*, on écrit *m'as* : *Tu m'as vu rire aux larmes.*	pronom personnel (*m'*) et auxiliaire *avoir*	Je peux mettre l'auxiliaire *avoir* à un autre temps. *Luc m'**avait** aperçu.* *Tu m'**avais** vu rire.*
ma	*<u>Ma mère</u> chante.*	déterminant possessif	Il est dans un <u>GN</u>. Comme c'est un déterminant, je peux le remplacer par un autre déterminant, par exemple : *ta.* *Ta mère chante.*

Les mots *mes* et *mais*

Mots	Exemples	Classe des mots	Moyen de reconnaître le mot
mes	*J'ai pris <u>mes cahiers</u>.*	déterminant possessif	Il est dans un <u>GN</u>. Comme c'est un déterminant, je peux le remplacer par un autre déterminant, par exemple : *tes.* *J'ai pris **tes** cahiers.*
mais	*Il est gentil, mais il est impatient.*	marqueur de relation (mot invariable)	Il exprime une opposition, une restriction. On peut souvent le remplacer par *pourtant.* *Il est gentil, **pourtant** il est impatient.*

➡

Les mots *mon* et *m'ont*

Mots	Exemples	Classe des mots	Moyen de reconnaître le mot
mon	*Mon père rit fort.*	déterminant possessif	Il est dans un <u>GN</u>. Comme c'est un déterminant, je peux le remplacer par un autre déterminant, par exemple : *un*. ***Un** père rit fort.*
m'ont	*Des amis m'ont appuyé.*	pronom personnel (*m'*) et auxiliaire *avoir*	Je peux mettre l'auxiliaire *avoir* à un autre temps. *Des amis **m'avaient** appuyé.*

Les mots *on* et *ont*

Mots	Exemples	Classe des mots	Moyen de reconnaître le mot
on	*On rit fort.* *On aime s'amuser.*	pronom personnel, 3e personne du singulier Le pronom *on* est toujours sujet.	Comme c'est un pronom de la 3e personne du singulier, je peux le remplacer par un autre pronom de la même personne comme *il*, *elle*, ou par un nom singulier, comme *Léon*. ***Il** rit fort.* ***Léon** aime s'amuser.*
ont	*Elles ont faim.*	verbe *avoir*	Comme c'est le verbe *avoir*, je peux le mettre à un autre temps. *Elles **avaient** faim.*

Les mots *ou* et *où*

Mots	Exemples	Classe des mots	Moyen de reconnaître le mot
ou	*Veux-tu du lait ou du jus ?*	mot invariable	Il signifie *ou bien*. *Veux-tu du lait **ou bien** du jus ?*
où	*Où vas-tu ?*	mot invariable	C'est un mot interrogatif qui désigne un lieu. Je ne peux pas le remplacer par *ou bien*. *~~Ou bien~~ vas-tu ?*

Les mots *son* et *sont*

Mots	Exemples	Classe des mots	Moyen de reconnaître le mot
son	*Luc frotte <u>son</u> nez.*	déterminant possessif	Il est dans un <u>GN</u>. Comme c'est un déterminant, je peux le remplacer par un autre déterminant, par exemple : *ton*. *Luc frotte **ton** nez.*
sont	*Les chats sont ici.*	verbe *être*	Comme c'est un verbe, je peux le conjuguer à un autre temps. *Les chats **étaient** ici.*

Les mots *ta* et *t'a*

Mots	Exemples	Classe des mots	Moyen de reconnaître le mot
ta	*<u>Ta petite maison</u> est jolie.*	déterminant possessif	Il est dans un <u>GN</u>. Comme c'est un déterminant, je peux le remplacer par un autre déterminant, par exemple : *une*. ***Une** petite maison est jolie.*
t'a	*La maladie t'a cloué au lit.*	pronom personnel (*t'*) et auxiliaire *avoir*	Je peux mettre l'auxiliaire *avoir* à un autre temps. *La maladie t'**avait** cloué au lit.*

Les mots *ton* et *t'ont*

Mots	Exemples	Classe des mots	Moyen de reconnaître le mot
ton	*Tu as exprimé <u>ton</u> opinion.*	déterminant possessif	Il est dans un <u>GN</u>. Comme c'est un déterminant, je peux le remplacer par un autre déterminant, par exemple : *une*. *Tu as exprimé **une** opinion.*
t'ont	*Les amis t'ont félicité.*	pronom personnel (*t'*) et auxiliaire *avoir*	Je peux mettre l'auxiliaire *avoir* à un autre temps. *Les amis t'**avaient** félicité.*

Lettres finales des verbes ayant le son é

Lettres finales	Exemples	Moyen de les différencier
ai	*J'ai soif. Je crierai.*	Le sujet est *je*.
ez	*Vous marchez. Vous sauterez.*	Le sujet est *vous*.
	Chantez !	Le verbe est à l'impératif présent, 2e pers. pl.
é → é, ée, és, ées	*Il est arrivé.* *Elle est arrivée.* *Ils sont arrivés.* *Elles sont arrivées.*	On a affaire à un participe passé. Je peux le remplacer par un autre participe passé, comme *vendu*. Si le participe passé est employé avec l'auxiliaire *être*, je dois alors l'accorder avec le sujet : *é, ée, és, ées.*
	Elle a marché. *Ils ont marché.*	Si le participe passé est employé avec l'auxiliaire *avoir*, j'écris *é*.
er	*Nous allons marcher.* *Ils aiment chanter.* *Nous allons au parc pour jouer.*	On a affaire à un verbe à l'infinitif. Je peux remplacer ce verbe par un autre verbe à l'infinitif, comme *vendre*.

Vous av<u>ez</u> chant<u>é</u> ;
dans<u>ez</u> maintenant !
Moi, j'ir<u>ai</u> vals<u>er</u>.

Nom : _____ Date : _____

Des mots qui ont le même son

Les mots *a* et *à*

VOIR
PAGE 151

Écris *a* (ou *as*) ou *à* dans les phrases suivantes. Justifie ta réponse en procédant comme dans l'exemple.

_____avais_____ _____avais_____

Ex. : Tu __as__ le goût d'aller patiner __à__ l'aréna,

_____avait_____

mais ton ami __a__ tes patins.

avais

1. Émile __a__ un rendez-vous chez le dentiste.

avais

Et toi, __as__ -tu fait examiner tes dents récemment ?

avais _avais_

2. Une fois arrivé __à__ la clinique, Émile __a__ peur. Et si ça faisait mal ?

avais

3. On lui explique qu'il n'__a__ pas de raisons d'avoir peur. Ce qui fait

avais

mal, c'est quand on ne prend pas soin de ses dents et qu'on __à__ des caries !

avais

4. Sais-tu qu'un adulte __a__ huit incisives, quatre canines, huit prémolaires et au moins huit molaires ?

avais _avais_

5. En fait, une personne adulte __a__ de huit __à__ douze molaires,

avais

si, évidemment, elle __a__ toutes ses dents !

avais _avais_

6. Émile retourne __à__ la maison, avec une brosse __à__ dents neuve et… un sourire éclatant.

Des mots qui ont le même son

Les mots *ça* et *sa*

>> **1**

VOIR
PAGE 151

Écris *ça* ou *sa*. Indique au-dessus du mot le moyen qui te permet de faire ton choix.

La

Ex. : **Sa** chemise est déchirée.

Cela

Ça veut dire qu'il faut la réparer.

1. Le grand-père d'Antonio est arrivé !

   Cela   *la*

   Ça fait longtemps qu'Antonio attendait **sa** venue !

   La   *la*

   Sa chambre est prête. **Sa** famille est heureuse de le recevoir.

   cela

2. « Qu'est-ce que c'est, **ça** ? » demande le père de Peter.

   Cela

   « **Ça** ? » répond Peter. Mais c'est le repas de Pinotte. Il n'a pas encore

   la

   eu **sa** pâtée aujourd'hui. »

   cela   *cela*   *la*

   « Je ne veux pas voir **ça** dans le salon. Va porter **ça** dans **sa** niche. »

   Cela   *cela*

3. **Ça** vous tente d'aller au cinéma ? **Ça** ne me fait rien de rester à

   la   *la*

   la maison avec Élise. Est-ce que **sa** grande sœur et **sa** meilleure amie peuvent venir nous garder ?

Des mots qui ont le même son

>> **2** **a)** Mets les groupes du nom soulignés au pluriel.

	Groupes du nom au pluriel
1. Elle m'a présenté sa charmante cousine.	ses charmantes cousines
2. Elle m'a montré sa magnifique peinture.	ses magnifiques peintures
3. Il veut me présenter à sa vieille copine.	ses vieilles copines
4. J'ai emprunté à Carlos sa figurine.	ses figurines
5. Je lui ai remis sa nouvelle carte de collection.	ses nouvelles cartes

VOIR
PAGE 151

b) Complète la phrase.

Le mot **sa** est un déterminant possessif féminin. Au pluriel, il prend

la forme _ses_ .

Les mots *ces* et *ses*

>> **1** **a)** Mets les groupes du nom soulignés au pluriel.

b) Entoure chaque déterminant, dans les deux colonnes.

VOIR
PAGE 152

	Groupes du nom au pluriel
1. J'observe ce petit insecte.	
2. Cet univers est fascinant.	
3. Avez-vous vu cette émission ?	

Des mots qui ont le même son

》》2 Complète le tableau.

Groupes du nom au masculin singulier	Groupes du nom au féminin singulier	Groupes du nom au masculin pluriel	Groupes du nom au féminin pluriel
1. cet élève studieux	_____ _____	_____ _____	_____ _____
2. _____ _____	cette gentille fille	_____ _____	_____ _____
3. ce chat tigré	_____ _____	_____ _____	_____ _____

》》3 **a)** Mets les groupes du nom soulignés au pluriel.

b) Entoure chaque déterminant, dans les deux colonnes.

	Groupes du nom au pluriel
1. J'ai vu Ahmed et <u>son chat</u>.	
2. J'ai rencontré Lili et <u>sa sœur</u>.	
3. Jules me prête <u>son livre</u>.	

》》4 **a)** Complète les phrases, en observant le tableau de l'activité 2.

Le déterminant *ce* est un déterminant démonstratif.

Au féminin singulier, il prend la forme ___cette___ .

Au masculin pluriel, il prend la forme _____ .

Au féminin pluriel, il prend la forme _____ .

b) Complète les phrases, en observant le tableau de l'activité 3.

Le déterminant *son* est un déterminant possessif.

Au féminin singulier, il prend la forme ___sa___ .

Au masculin pluriel, il prend la forme _____ .

Au féminin pluriel, il prend la forme _____ .

Des mots qui ont le même son

Les mots *ces, ses* et *c'est*

 1 Récris les phrases en remplaçant « C'est » par « Ce n'est pas ».

1. C'est très original, ce que vous faites là.

   _____

2. C'est habile de ta part.

   _____

3. C'est une journée ordinaire.

   _____

2 Ajoute le mot qui convient : *c'est, ces* ou *ses*.

VOIR
PAGE 152

1. _____ terrible, ce que tu me dis là ! La sorcière a perdu

   _____ formules magiques !

2. Vois-tu _____ citrouilles ? La sorcière devait les transformer

   en carrosses.

3. Regarde _____ chats noirs. La sorcière les emmène toujours

   avec elle : ce sont _____ serviteurs.

4. Ne me dis pas que tu crois à _____ sornettes ?

5. _____ pour rire, voyons !

3 Rédige trois phrases :
- une dans laquelle tu emploieras le mot *ces* ;

VOIR
PAGE 152

- une dans laquelle tu emploieras le mot *ses* ;
- une dans laquelle tu emploieras *C'est*.

Fais cette activité sur une feuille mobile.

Des mots qui ont le même son

Les mots *la*, *l'a* et *là*

»1 Écris *la* ou *là*.

VOIR
PAGES 152
et 153

_____ cigogne et _____ lionne ont échangé leurs plats.

_____ cigogne n'arrive pas à saisir les morceaux dans

_____ grande assiette de _____ bête à quatre pattes.

_____ lionne n'arrive pas à atteindre _____ nourriture

dans le vase de _____ bête ailée.

« Mais qu'est-ce que vous faites _____ ?

leur dit _____ chouette. Toi, contente-toi

de cette nourriture-ci et toi,

mange donc ce plat-_____ . »

»2 Au-dessus de *la*, *l'a* et *là*, écris le numéro qui correspond à son cas, d'après le tableau qui suit.

Ex.: **La** coccinelle vole par **là**.

Là, sous **la** feuille, il y a une cochenille.

La coccinelle **l'a** vue : miam, miam. Elle **la** veut !

Elle s'approche et hop, elle **la** croque.

Cette coccinelle-ci est comblée ; cette coccinelle-**là** n'est pas rassasiée.

		Exemples
1.	Déterminant (article)	*La pomme est mûre.*
2.	Pronom personnel	*Je la vois.*
3.	Pronom personnel + auxiliaire *avoir*	*Il l'a mangée.*
4.	Mot invariable (indique le lieu)	*On s'en va là.*
5.	Fait partie d'un déterminant démonstratif	*Je veux **cette** pomme-**là**.*

Des mots qui ont le même son

3 **a)** Complète les phrases inachevées en mettant
le verbe au passé composé.

Ex.: Il reçoit un blouson. Il le porte tous les jours.

Il a reçu un blouson. Il _l'a porté tous les jours_ .

1. Jules arrive. Pascal le salue.

Jules est arrivé. Pascal _____ .

2. La chatte a un chaton. Elle le nourrit.

La chatte a eu un chaton. Elle _____ .

b) Dans les deux phrases que tu as complétées, souligne le pronom
et relis-le au groupe du nom qu'il remplace.

Ex.: Il a reçu un blouson. Il _l'a porté tous les jours_ .

Les mots *ma* et *m'a*

1 **a)** Complète les phrases en écrivant
le déterminant possessif approprié.

VOIR
PAGE 153

1. Le cheval a perdu sa crinière.

J'ai perdu _____ chevelure.

2. L'éléphant a perdu son appendice

nasal : sa trompe ! Moi, j'ai perdu _____ nez.

3. Le renard nettoie sa tanière. Je nettoie _____ chambre.

4. Le mille-pattes compte sur _____ pattes. Je compte sur _____ doigts.

b) Observe l'activité *a*, puis complète les phrases suivantes.

Le déterminant « ma » est un déterminant _____ ,

au féminin singulier.

Au masculin singulier, il prend la forme _____ .

Au masculin et au féminin pluriel, il prend la forme _____ .

Nom : _____ Date : _____

Des mots qui ont le même son

>> **2** Écris *ma* ou *m'a*.

VOIR
PAGE 153

Lorsque tu utilises le déterminant *ma*, souligne le nom qu'il introduit.

Lorsque tu utilises *m'a*, écris au-dessus l'auxiliaire *avoir* à l'imparfait. Relis la phrase avec cet auxiliaire à l'imparfait pour vérifier si elle a du sens.

＿＿*m'avait*＿＿   ＿＿＿＿＿＿＿

Ex.: José ＿＿*m'a*＿ emprunté ＿＿*ma*＿ flûte.

＿＿＿＿＿＿   ＿＿＿＿＿＿

1. Pedro est venu à ＿＿＿＿ fête. Il ＿＿＿＿ apporté mes bonbons préférés.

＿＿＿＿＿＿   ＿＿＿＿＿＿

2. José ＿＿＿＿ téléphoné. Il a perdu ＿＿＿＿ flûte.

＿＿＿＿＿＿   ＿＿＿＿＿＿

3. Mon père ＿＿＿＿ récompensé pour ＿＿＿＿ dictée sans fautes.

Les mots *mon* et *m'ont*

>> **1** **a)** Mets les groupes du nom suivants au masculin singulier.

Ex.: ma chatte   ＿*mon chat*＿＿＿＿＿＿＿＿

1. ma dentiste   ＿＿＿＿＿＿＿＿＿＿＿＿

2. ma mère   ＿＿＿＿＿＿＿＿＿＿＿＿

3. mon amie   ＿＿＿＿＿＿＿＿＿＿＿＿

VOIR
PAGE 154

b) Tire une conclusion en complétant les phrases suivantes.

Le mot *mon* est un ＿＿＿＿＿＿＿＿ possessif, masculin singulier.

Il introduit un ＿＿＿＿＿ masculin singulier.

Le mot *mon* peut se trouver devant un nom féminin, lorsque ce nom

commence par une ＿＿＿＿＿ ou un *h* muet.

2 **a)** Les verbes des phrases suivantes sont au passé composé, à la 3ᵉ personne du singulier. Récris les phrases en mettant le sujet au pluriel.

> N'oublie pas d'accorder l'auxiliaire avec le sujet.

Ex. : Il m'a salué.

Ils m'ont salué. _____

1. Elle m'a ri au nez.

_____

2. Mon ami m'a emprunté mon jeu préféré.

_____

b) Tire une conclusion en complétant la phrase suivante.

« m'ont » est formé du pronom personnel *me* et de l'auxiliaire _____ ,

à la _____ personne du _____ .

3 Écris *mon* ou *m'ont*.

VOIR
PAGE 154

Lorsque tu utilises le déterminant *mon*, souligne le nom qu'il introduit.

Lorsque tu utilises *m'ont*, écris au-dessus l'auxiliaire *avoir* à l'imparfait. Relis la phrase avec cet auxiliaire à l'imparfait et vérifie si elle a du sens.

1. Anita et Guillaume _____ invité à une fête.

Je vais apporter _____ ballon.

2. Ils _____ reçu avec des cris et des « hourra ».

Ils avaient organisé cette fête pour _____ anniversaire.

3. _____ père et ma mère sont venus me chercher.

Ils _____ trouvé en train de jouer à la cachette.

Des mots qui ont le même son

Les mots *ta* et *t'a*

1 **a)** Rédige deux phrases comportant les mots *ta* et *t'a*.

VOIR
PAGE 155

• _____

_____

_____

• _____

_____

_____

b) À l'aide du tableau de la page 155, vérifie si tu as employé correctement ces mots. Écris au-dessus de chacun d'eux le moyen que tu utilises pour choisir son orthographe.

c) Vérifie aussi l'orthographe des autres mots et les accords nécessaires : accords dans le groupe du nom, accord du verbe avec le sujet.

d) Donne tes phrases en dictée à un ou une camarade.

e) Écris ici les phrases que ton ou ta camarade te donne en dictée.

• _____

_____

_____

• _____

_____

_____

f) Écris au-dessus des mots *ta* et *t'a* le moyen que tu as utilisé pour les différencier.

g) Échange ton cahier contre celui de ton ou ta camarade. Corrige les phrases que tu lui as dictées.

Des mots qui ont le même son

Les mots *ton* et *t'ont*

1 Complète le poème en écrivant *ton* ou *t'ont*.

VOIR
PAGE 155

_____ mouton

Si mignon

Allons-nous l'attacher ?

_____ chien

Si coquin

Allons-nous le gronder ?

_____-ils dit que _____ lapin

Était parti bien loin ?

2 Écris les groupes du nom suivants au masculin singulier.

Ex. : ta sœur adorée   <u>ton frère adoré</u> _____

1. ta musicienne préférée   _____

2. ta chanteuse si populaire   _____

3. ta directrice compétente   _____

3 Récris les phrases suivantes en mettant les verbes conjugués au passé composé.

Ex. : Tes parents te demandent de rentrer tôt.

<u>Tes parents t'ont demandé de rentrer tôt.</u> _____

1. Tes amis t'apportent leurs fruits préférés.

_____

2. Mélanie et Alexandre te téléphonent souvent.

_____

Des mots qui ont le même son

Lettres finales des verbes ayant le son é

a) Donne aux verbes leurs lettres finales : *ai*, *ez*, *é* ou *er*.

VOIR
PAGE 156

Ex. : Vous souhait_ez_ visit_er_ le musée ?

_____

1. J'ir____ sans doute visit____ ce musée samedi prochain.

_____

2. Viendr____-vous avec moi ?

_____

3. Je fer____ le tour de toutes les salles et je m'attarder____ surtout aux vitrines exposant des objets amérindiens.

_____

4. Si vous veni____, vous pourri____ m'aid____ à prendre des notes.

_____

5. J'aimerais présent____ un exposé devant la classe sur ce sujet.

_____

6. Si vous av____ aim____ l'exposition sur l'art amérindien,

_____

vous apprécier____ aussi ce musée.

b) Dans les phrases que tu viens de compléter, écris au-dessus de chaque verbe à quel temps il est conjugué.

S'il n'est pas conjugué indique « infinitif ».

indicatif présent   infinitif

Ex. : Vous souhait_ez_ visit_er_ le musée ?

Les classes de mots variables

Chaque mot appartient à une **classe**.

En 3e et 4e années, tu te familiarises avec les **classes de mots variables**. On les appelle « variables » parce qu'ils peuvent varier selon le genre (masculin ou féminin), le nombre (singulier ou pluriel) ou encore selon la personne (1re, 2e ou 3e).

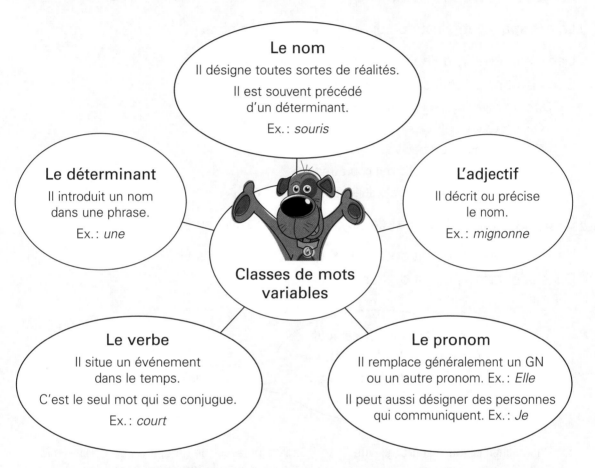

Le nom

Il désigne toutes sortes de réalités.

Il est souvent précédé d'un déterminant.

Ex. : *souris*

Le déterminant

Il introduit un nom dans une phrase.

Ex. : *une*

L'adjectif

Il décrit ou précise le nom.

Ex. : *mignonne*

Classes de mots variables

Le verbe

Il situe un événement dans le temps.

C'est le seul mot qui se conjugue.

Ex. : *court*

Le pronom

Il remplace généralement un GN ou un autre pronom. Ex. : *Elle*

Il peut aussi désigner des personnes qui communiquent. Ex. : *Je*

Dans les phrases suivantes, nous indiquons la classe des mots variables.

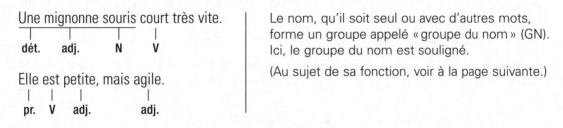

Une mignonne souris court très vite.
dét.   adj.   N   V

Elle est petite, mais agile.
pr.   V   adj.   adj.

Le nom, qu'il soit seul ou avec d'autres mots, forme un groupe appelé « groupe du nom » (GN). Ici, le groupe du nom est souligné.

(Au sujet de sa fonction, voir à la page suivante.)

Les autres mots sont des **mots invariables**, c'est-à-dire des mots qui ne changent jamais. Ils s'écrivent toujours de la même façon. Voici quelques exemples :

- très, vite, toujours, hier, demain, aujourd'hui, jamais, souvent, d'abord, ensuite
- et, ou, mais, car, parce que
- à, de, pour, en

La phrase

◎ Une phrase comprend un **groupe sujet** et un **groupe du verbe**.

Phrase 1   Une mignonne souris court très vite.

Phrase 2   Léo aime les souris.

◎ Le **groupe sujet**, c'est de qui ou de quoi parle la phrase.

Dans la phrase 1, on parle d'« Une mignonne souris ».

Dans la phrase 2, on parle de « Léo ».

On peut aussi trouver le sujet en posant la question

« Qui est-ce qui… ? » devant le verbe conjugué :

« Qui est-ce qui court très vite ? »

C'est une mignonne souris **qui** court très vite :

« une mignonne souris » est le sujet (ou groupe sujet).

◎ Le **groupe du verbe**, c'est ce qu'on dit à propos du sujet.

Dans la phrase 1, on dit de la souris qu'elle « court très vite ».

Dans la phrase 2, on dit de Léo qu'il « aime les souris ».

Attention ! Il ne faut pas confondre la classe d'un mot et sa fonction dans la phrase.

1. Une mignonne souris court très vite.

2. Léo aime les souris.

Dans la phrase 1, le groupe du nom « Une mignonne souris » occupe la **fonction** sujet.

Dans la phrase 2, le groupe du nom « les souris » n'occupe pas la fonction sujet ; sa fonction est de compléter le verbe.

Mais dans les deux cas, le mot « souris » appartient à la **classe** des noms.

La conjugaison

Verbe *avoir*

Aux temps composés, ce verbe se conjugue avec l'auxiliaire *avoir*.

Mode indicatif

présent	
j'	ai
tu	as
il / elle	a
nous	avons
vous	avez
ils / elles	ont

imparfait	
j'	avais
tu	avais
il / elle	avait
nous	avions
vous	aviez
ils / elles	avaient

passé composé	
j'	ai eu
tu	as eu
il / elle	a eu
nous	avons eu
vous	avez eu
ils / elles	ont eu

futur simple	
j'	aurai
tu	auras
il / elle	aura
nous	aurons
vous	aurez
ils / elles	auront

conditionnel présent	
j'	aurais
tu	aurais
il / elle	aurait
nous	aurions
vous	auriez
ils / elles	auraient

Mode subjonctif

présent	
que j'	aie
que tu	aies
qu'il / qu'elle	ait
que nous	ayons
que vous	ayez
qu'ils / qu'elles	aient

Mode impératif

présent
aie
ayons
ayez

Infinitif

avoir

Participe

passé	singulier	pluriel
masculin	eu	eus
féminin	eue	eues

Verbe *être*

Aux temps composés, ce verbe se conjugue avec l'auxiliaire *avoir*.

Mode indicatif

présent	
je	suis
tu	es
il / elle	est
nous	sommes
vous	êtes
ils / elles	sont

imparfait	
j'	étais
tu	étais
il / elle	était
nous	étions
vous	étiez
ils / elles	étaient

passé composé	
j'	ai été
tu	as été
il / elle	a été
nous	avons été
vous	avez été
ils / elles	ont été

futur simple	
je	serai
tu	seras
il / elle	sera
nous	serons
vous	serez
ils / elles	seront

conditionnel présent	
je	serais
tu	serais
il / elle	serait
nous	serions
vous	seriez
ils / elles	seraient

Mode subjonctif

présent	
que je	sois
que tu	sois
qu'il / qu'elle	soit
que nous	soyons
que vous	soyez
qu'ils / qu'elles	soient

Mode impératif

présent
sois
soyons
soyez

Infinitif

être

Participe

passé	été (invariable)

Verbe *aller*

Aux temps composés, ce verbe se conjugue avec l'auxiliaire *être*.

Mode indicatif

présent	
je	vais
tu	vas
il / elle	va
nous	allons
vous	allez
ils / elles	vont

imparfait	
j'	allais
tu	allais
il / elle	allait
nous	allions
vous	alliez
ils / elles	allaient

passé composé	
je	suis allé / allée
tu	es allé / allée
il / elle	est allé / allée
nous	sommes allés / allées
vous	êtes allés / allées
ils / elles	sont allés / allées

futur simple	
j'	irai
tu	iras
il / elle	ira
nous	irons
vous	irez
ils / elles	iront

conditionnel présent	
j'	irais
tu	irais
il / elle	irait
nous	irions
vous	iriez
ils / elles	iraient

Mode subjonctif

présent	
que j'	aille
que tu	ailles
qu'il / qu'elle	aille
que nous	allions
que vous	alliez
qu'ils / qu'elles	aillent

Mode impératif

présent
va
allons
allez

Infinitif

aller

Participe

passé	singulier	pluriel
masculin	allé	allés
féminin	allée	allées

173

Verbe *faire*

Aux temps composés, ce verbe se conjugue avec l'auxiliaire *avoir*.

Mode indicatif

présent

je	fais
tu	fais
il / elle	fait
nous	faisons
vous	faites
ils / elles	font

imparfait

je	faisais
tu	faisais
il / elle	faisait
nous	faisions
vous	faisiez
ils / elles	faisaient

passé composé

j'	ai fait
tu	as fait
il / elle	a fait
nous	avons fait
vous	avez fait
ils / elles	ont fait

futur simple

je	ferai
tu	feras
il / elle	fera
nous	ferons
vous	ferez
ils / elles	feront

conditionnel présent

je	ferais
tu	ferais
il / elle	ferait
nous	ferions
vous	feriez
ils / elles	feraient

Mode subjonctif

présent

que je	fasse
que tu	fasses
qu'il / qu'elle	fasse
que nous	fassions
que vous	fassiez
qu'ils / qu'elles	fassent

Mode impératif

présent

fais
faisons
faites

Infinitif

faire

Participe

passé	singulier	pluriel
masculin	fait	faits
féminin	faite	faites